AI网文写作变现

李佳翼 著

化学工业出版社
·北京·

内容简介

《AI网文写作变现》紧扣AI技术与网文创作、商业变现的融合趋势，针对网文创作者面临的创作效率低、题材定位模糊、变现渠道单一、版权风险难规避等核心痛点，提供体系化指导与实战方案。

全书共7章，以“AI赋能网文变现”为主线展开：先剖析AI对网文行业的变革性影响与核心优势，建立行业认知；再聚焦AI写作核心能力，涵盖主流工具盘点、适配选择及高效指令设计优化；继而通过热门题材分析、市场趋势预测及个人创作优势四维模型，助力创作者精准定位创作方向；随后详解AI辅助的网文创作全流程，包括大纲搭建、内容细化及消除“AI味儿”的方法；还深度剖析主流网文平台特性与运营策略，梳理AI创作的法律与版权知识及保护措施；最后拓展自媒体平台、影视公司合作、周边产品开发等多元变现渠道。

本书兼具理论性与实操性，适用于网文创作者（新手与资深从业者）、自媒体人及内容创作者，助力读者掌握AI网文写作的核心方法，打通从创作到变现的完整链条。

图书在版编目（CIP）数据

AI网文写作变现 / 李佳翼著. -- 北京 ： 化学工业出版社，2026. 1. -- ISBN 978-7-122-49461-0

Ⅰ. I207.999-39

中国国家版本馆CIP数据核字第2025RH5622号

责任编辑：刘晓婷　　责任校对：张茜越

出版发行：化学工业出版社（北京市东城区青年湖南街13号　邮政编码 100011）

印　　装：盛大（天津）印刷有限公司

880mm × 1230mm　1/32　印张$4^1/_4$　字数220千字　2026年1月北京第1版第1次印刷

购书咨询：010-64518888　　售后服务：010-64518899

网　　址：http://www.cip.com.cn

定　　价：59.00元

前言

网文行业已从小众自娱产业成长为年规模超千亿元的核心内容产业。题材日益多元，竞争不断加剧，创作者面临共同困境——灵感枯竭、效率低下、不懂运营与变现，导致许多优质作品被埋没。

人工智能技术的成熟为行业带来转机。AI已渗透到创作全流程——从灵感激发、大纲构建到描写优化，甚至运营推广，显著提升效率、降低门槛。但机遇伴随挑战：工具选择困难、内容机械同质、版权归属模糊、变现途径单一等问题，仍阻碍着创作者借助AI实现价值突破。

全书结构清晰、聚焦痛点。以“实战落地”为宗旨，系统解答如何利用AI高效创作并成功变现。

第1章剖析AI为网文创作带来的核心优势：提升效率、打破瓶颈、降低门槛、拓宽变现渠道，帮助读者建立理性认知。

第2章聚焦工具选择与指令设计，指导读者根据创作需求选择合适的AI工具，并通过精准指令实现从“会用”到“善用”的跨越。

第3章结合市场数据与个人创作优势，提供题材定位方法论，帮助读者避开红海、挖掘蓝海，确立差异化创作方向。

第 4 章详解 AI 辅助下的完整创作流程，涵盖大纲生成、场景描写、对话设计等方面，重点教授消除“AI 味儿”、保留个人风格的润色技巧。

第 5 章分析主流网文平台的规则与运营策略，指导作品投稿、推广与粉丝维护，提升作品曝光度与读者黏性。

第 6 章关注 AI 创作中的版权问题，解析法律风险并提供权益保护方案，为创作者规避争议、安心创作提供支持。

第 7 章系统地介绍多维度变现模式，包括平台分成、自媒体转化、IP 改编与周边产品开发，打破单一收入局限，构建可持续收益体系。

本书面向新手、资深作者及内容创业者，致力于提供一套可复制、能落地的 AI 网文创作与变现方法。AI 不是替代创作的对手，而是激发个人价值的伙伴。愿这本书助你把握智能创作新机遇，在文字世界实现更大的价值。

尽管作者在本书的编写过程中付出了极大的努力，但由于时间有限和 AI 技术的迅猛发展，书中难免会存在一些不够完善的地方。希望读者能够给予理解，并欢迎各位提出宝贵的意见和建议，这将有助于我们持续改进。

目录

第 1 章

AI 网文写作新机遇

在数字化浪潮的冲击下，网文行业迎来了前所未有的变革。AI 技术的迅猛发展，如同一颗璀璨的新星，照亮了网文创作与变现的全新道路。本章将深入剖析 AI 技术如何在网文领域广泛渗透，带来革命性的变化，以及其为创作者带来的诸多优势，如提升创作效率、打破瓶颈、降低门槛等，为读者揭开 AI 网文写作新机遇的神秘面纱。

1.1 网文行业新变局——AI来袭

近年来，网络文学行业以其惊人的活力和包容性，实现了蓬勃发展。它早已超越“草根娱乐”的初始形态，蜕变为中国文化创意产业中一颗耀眼的“数字明珠”。其核心价值在于构建了一个体量庞大、层次丰富、类型多元的虚拟文学宇宙：数千万部作品如星河般璀璨，精准覆盖从青少年幻想、都市职场到历史悬疑、科幻未来的广阔光谱，满足了亿万读者日益精细化、个性化的精神消费需求。这个充满活力的生态不仅孕育了现象级IP，更深刻塑造了当代大众的阅读习惯与文化审美。

1.1.1 AI技术在网文创作领域的广泛渗透

人工智能技术已从网文行业的边缘辅助工具，演变为贯穿创作全流程的核心驱动力。其渗透之广、融合之深，正在系统性地重构网络文学的生产方式、作品形态和商业模式，推动行业进入智能化跃迁的新阶段。

1. 渗透广度：全流程覆盖的创作革命

在当今这个数字时代，人工智能正以前所未有的力量重塑文学创作的生态。从创意构思到内容生成，再到IP衍生开发，AI技术如同一位全能助手，深度融入创作的每一个环节，为创作者提供支持，助力他们在文学的海洋中乘风破浪，开启高效、多元的创作之旅。

（1）构思阶段：智能化的创意引擎

在当今的创作浪潮中，AI技术正以前所未有的力量重塑创作流程。它不仅能提供动态情节推演，还能助力数据驱动的选题决策，以及快速构建世界观与角色库，为创作者开辟全新路径，见表1-1。

表1-1 AI重塑创作流程的三个维度

能力维度	具体应用
动态情节推演	AI工具可基于初始故事种子，如“废柴逆袭”或“星际逃亡”，自动生成多条逻辑自洽的情节发展路径，并预判分支选择带来的连锁反应，辅助作者规避叙事漏洞。
数据驱动的选题决策	通过分析海量读者行为数据和市场热点，AI能为创作者提供题材竞争力报告、流行元素组合建议及潜在受众画像，降低选题盲目性。
世界观与角色库构建	输入核心设定关键词，AI可快速生成包含地理、势力、种族、能量体系的完整世界观框架，并自动创建具有背景故事、性格特征及关系网络的角色库，大幅缩短前期准备周期。

（2）生成阶段：高效的内容生产力

AI 不仅能够生成模块化文本、模仿风格、实时翻译，还能诊断语言问题、分析叙事节奏、维护角色一致性，并评估市场适配度，全方位助力网文创作，让创作更高效、更精准。见表 1-2。

表1-2 AI助力创作模块

模块	功能说明
模块化文本生成	根据作者提供的情节节点、角色设定和风格要求，AI能批量生成对话片段、场景描写或过渡章节。部分工具支持“一键生成”数千字初稿，作为创作基底。
风格适配与模仿	通过对特定类型（如仙侠、都市、科幻）经典作品的深度学习，AI可模仿其叙事节奏、语言风格和常用修辞，生成符合类型预期的文本内容。
多语言实时创作	支持非中文母语作者使用母语创作，由AI实时翻译并优化为符合中文网文习惯的文本，打破语言壁垒。
语言与风格诊断	AI可识别文本中的语病、冗余表达及风格不一致处，提供精准修改建议，如将“论文腔”转为更生动的网文语体。
叙事节奏分析	通过标记“对话密集区”“动作缺失段”或“情绪断层点”，提示作者调整描写比重，优化叙事流畅度与读者沉浸感。
角色一致性维护	建立角色行为特征库，当新生成内容偏离设定（如冷静角色突发冲动行为）时自动提示，确保人物形象统一。
市场适配度评估	结合实时读者反馈（评论、投票数据）预测章节吸引力，为后续创作方向提供数据参考。

（3）衍生阶段：跨模态的 IP 加速器

从文生图、有声书生成到多语言适配，AI 已为网文创作提供了多元化的辅助工具。然而，这只是变革的开端。在人工智能的推动下，网络文学的创作模式和生态正发生本质的重塑，新的创作范式与趋势正在悄然崛起，见表 1-3。

表1-3 AI助力网文的衍生及应用

衍生方向	AI应用
文生图/视频	基于文字描述自动生成角色立绘、场景概念图或动态分镜，辅助世界观可视化与IP多形态开发。
AI有声书生成	将文本转化为接近真人演绎的语音内容，支持多语种、多音色选择，极大缩短音频内容生产周期。
多语言出海适配	自动翻译文本并深度本地化（调整文化梗、叙事节奏），加速网文全球分发。

2. 渗透深度：技术融合的本质变革

在人工智能浪潮的冲击下，网络文学创作领域正经历一场前所未有的变革，新的创作模式与生态正在悄然重塑，见表1-4。

表1-4 AI技术引发的网文创作变革

变革方向	具体表现
“增强型创作者”崛起	职业作家将AI作为“创意外脑”和“效率工具”，专注于核心构思与情感表达，将基础描写、套路化情节交由AI处理。
人机协作新范式	创作过程演变为“人类设定目标-AI生成选项-人类筛选优化”的循环协作，AI深度参与创意决策链。
大众创作门槛瓦解	非专业用户借助提示词工程和模板化工具，也能产出结构完整的长篇故事，推动“全民创作”趋势。
效率跃升	部分标准化程度高的类型文（如系统流、签到流），创作周期可缩短数倍，从“年更百万字”进入“月更百万字”时代。
成本重构	人力密集型环节（如基础描写、套路章节撰写）成本显著下降，推动平台转向“海量内容+长尾覆盖”策略。
流程标准化	创作被拆解为“设定输入-AI生成-人工精修-质检发布”的流水线，部分环节实现自动化管理。
交互式叙事兴起	AI支持分支剧情实时生成，读者通过选择影响故事走向，网文从“单向阅读”转向“沉浸式体验”。
跨媒介融合加速	文字、图像、音频的AI协同生成能力，催生“原生多模态网文”，阅读边界逐渐模糊。
个性化定制内容	AI可根据读者偏好动态调整局部情节、角色互动甚至叙事风格，实现“千人千面”的故事体验。

AI对网文创作领域的深度渗透，其终极目标并非取代人类作者，而是将创作者从机械性、重复性劳动中解放出来。当AI能高效处理套路化叙事和基础描写时，人类作者得以回归其不可替代的核心角色：世界观的架构师、人性深度的勘探者、情感共鸣的缔造者与时代精神的书写者。这场技术渗透的终点，将是人机协同下的网络文学创作潜力与艺术价值的全新巅峰。技术浪潮奔涌向前，而驾驭浪潮、指引方向的舵手，始终是拥有无限想象力与深刻洞察力的人类创作者。

1.1.2 AI给网文创作和变现带来的革命性变化

正如所有处于数字浪潮前沿的领域，网文行业的发展轨迹注定与技术革新紧密交织。当前，一场由人工智能（AI）技术驱动的新变局正以前所未有的广度和深度席卷而来，其影响力远非单一工具迭代所能概括，而是触及了创作、生产、分发乃至消费模式的根本层面，堪称重塑行业基因的“关键变量”。

1. 创作端的革新风暴

AI 不再仅是辅助工具，正逐步成为“创意协作者”甚至“初级创作者”。从智能辅助（如情节推演建议、角色命名生成、基础场景描写填充）到自动生成（如大纲构建、章节初稿、特定类型套路文），AI 正显著降低创作门槛，提升创作效率。这既为传统作者提供了强大的“外脑”，也催生了新兴的“AI 写手”群体，海量的中短篇、定制化内容的生产能力呈指数级增长。但同时，“同质化风险”与“创作伦理”的尖锐讨论也随之升温。

2. 生产分发模式的智能化跃迁

AI 驱动的算法推荐系统早已成为平台标配，精准匹配用户偏好与海量作品。而更前沿的应用在于：AI 可实时分析读者反馈（评论、投票、阅读进度），为作者提供动态调整建议；智能审校工具极大提升了文字质量与合规性检查效率；甚至基于文本的 AI 绘图、AI 有声书生成技术，正加速实现网文 IP 向多媒介形态的“一键式”衍生，极大缩短了 IP 孵化周期，变革了内容产业链条。

3. 读者体验的沉浸式革命

AI 正在重新定义“阅读”本身。智能交互式小说允许读者通过选择影响剧情走向（AI 实时生成后续内容）；个性化角色形象生成与虚拟陪伴功能，增强了代入感与情感连接；AI 驱动的智能语音朗读，提供媲美真人朗读的沉浸式听书体验。网文不再仅仅是静态文本，而是向动态、交互、多感官融合的“沉浸式叙事体验”进化。

4. 行业格局的重塑与挑战

AI 的深度应用正加速行业洗牌。头部平台凭借技术与数据优势，在 AI 赋能下强者恒强；对效率与规模要求更高的免费阅读模式，可能更快、更深地拥抱 AI 生成内容；而强调创意独特性和作者个人品牌效应的付费精品模式，则面临如何平衡 AI 辅助与保持“人本创作”核心价值的挑战。同时，版权界定（AI 生成内容归属）、内容监管（AI 生成内容的合规性），以及职业作家生态如何适应这场变革，成为亟待解决的行业新命题。

AI 对网文行业的冲击，远非简单的“效率提升”或“威胁论”所能涵盖。它是一场系统性、生态级的深度变革，正在重新定义“谁是创作者”“如何创作”“如何分发”以及“如何消费”。这场变局既孕育着提升内容产能、创新用户体验、拓展商业模式的历史性机遇，也带来了关于原创性守护、版权体系重构、行业伦理规范以及人才结构转型的严峻挑战。能否驾驭 AI 之力，将其融入而不替代人类创意，将深刻决定网文行业未来十年乃至更长时间的竞争格局与发展高度。这不仅是技术的演进，更是一场关于“文学创作本质”在智能时代如何存续与升华的深刻对话。

1.2 AI时代网文创作与变现的优势

AI技术的引入，为网文创作与变现带来了诸多前所未有的优势，这些优势不仅改变了作者的创作方式，也为网文行业的商业发展开辟了新的道路。

1.2.1 提升创作效率，缩短创作周期

在传统网文创作模式下，百万字量级作品的诞生往往需经历漫长的生产周期。作者需独立完成世界观架构、情节铺陈、人物塑造等全流程创作，平均耗时12～18个月。这种线性生产模式不仅消耗创作者大量精力，更使作品迭代速度难以匹配市场需求的快速变化。而AI技术的介入，正通过三重加速机制重构创作效率体系。

1. 生成层：文本量产能力突破

借助深度学习的自然语言生成技术，AI将创作流程模块化，通过“结构解构＋要素填充＋风格适配”，高效生成初稿，大幅提升创作效率。当以“修仙＋逆袭＋宗门大比”为核心要素时，AI通过“结构解构＋要素填充＋风格适配”的模块分解任务，以实现高效输出，内容生成模块分解见表1-5。

表1-5 AI内容生成模块分解

分解模块	内容详情
结构解构	自动识别该类型作品的叙事模板，比如“废柴觉醒-秘境奇遇-越级挑战”三幕式结构。
要素填充	根据语义关联生成符合逻辑的情节单元，如“宗门大比”场景自动衍生裁判设定、比武规则、观众反应。
风格适配	调用预训练的仙侠语料库，确保语言风格契合题材特征，比如招式命名规则、境界描述范式。

此过程将基础内容生成效率提升5～8倍，百万字初稿产出周期从传统模式的“年”压缩至“月”。

2. 优化层：智能修订闭环

借助动态缺陷诊断系统，AI能够精准定位创作痛点并提供修复建议，从叙事节奏、逻辑一致性和语言表现力等多维度优化作品，大幅提升创作效率。通过AI

工具进行多维分析，实现创作痛点的精准定位与修复，见表1-6。

表1-6 多维分析与优化示例

分析维度	诊断能力举例	优化效果
叙事节奏	识别对话占比70%的“静态章节”	自动插入动作描写与环境渲染建议
逻辑一致性	检测前后矛盾的设定（如角色能力突变）	提示修正方案并生成替代情节线
语言表现力	标记重复率40%的形容词集群	推荐同义替换库及场景化表达方案

该分析法可以大幅度减少人工修订轮次，使修改环节的耗时占比从传统模式下的较高比例显著降至极小比例。

3. 流程层：创作周期压缩模型

在创作过程中，AI显著提升了各阶段效率：构思阶段，世界观搭建周期从数周缩短至数日；撰写阶段，日均输出量从3000字跃升至8000 ~ 15000字；修订阶段，版本迭代速度提升明显，智能批注替代人工通读，整体创作效率大幅提升。

（1）效率革命的商业价值重构

中篇作品（30万~50万字）完整创作周期从传统的4~6个月压缩至6~8周，使创作者可同步推进多部作品开发。AI辅助下，单日可持续产出1万~1.5万字优质内容，日更压力显著缓解的同时，也可以满足平台连载需求。

（2）长尾内容经济激活

效率提升使小众题材的创作成本降低，推动细分市场繁荣。比如需要大量考据的历史题材作品。“创意—产品”转化周期缩短，从文字到音频，再到视觉化衍生的周期同步压缩，加速IP多形态开发进程。

（3）技术实现原理深度解析

通过BERT（Bidirectional Encoder Representations from Transformers，基于Transformer的双向编码器表示法）等语义理解引擎模型解析创作者意图，准确捕捉“神秘力量”“第一个挑战”等关键要素，见表1-7。

表1-7 AI辅助创作系统核心模块

分解模块	内容详情
类型识别模块	调用千万级作品训练的题材分类器，精准匹配玄幻、科幻等类型特征库。
要素生成器	基于Transformer架构生成符合逻辑的情节单元，确保事件链因果关系自洽。
质量分析仪	利用预训练模型检测文本偏离度，如角色OOC（Out of Character，不符合角色设定或角色出戏）/战力崩坏，生成量化修订方案。

AI 辅助创作系统的闭环工作流，从创作者输入开始，经过语义理解、类型识别、要素生成、初稿输出、质量分析，最终提供修订建议并形成反馈循环的完整过程，如图 1-1 所示。

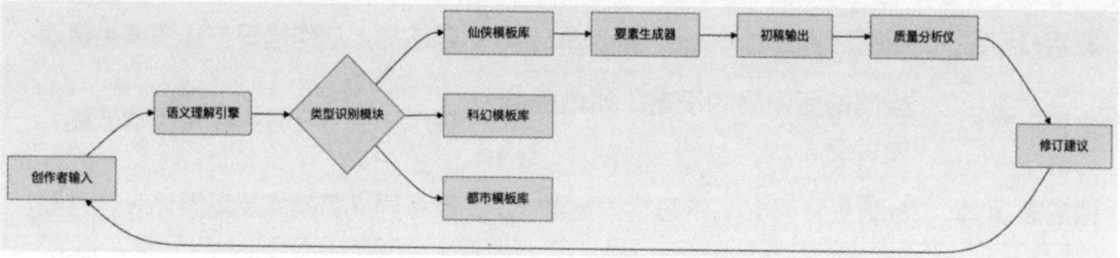

图1-1　AI辅助创作系统的闭环工作流

（4）行业影响与未来演进

行业数据显示，深度应用 AI 工具的创作者：作品上线周期缩短 57%；读者留存率提升 12%（因更新稳定性增强）；多开作品的比例增加 230%。

借助 AI 工具带来的便利，作者写稿时，可根据读者评论动态优化后续剧情，比如将高赞建议自动融入新章节。与此同时，在文字输出时可同步生成分镜脚本和角色设定图，加速 IP 的可视化进程。

效率革命的本质并非简单加速，而是通过重构创作价值链，将人类创作者从机械劳动中解放出来，聚焦于核心创意与情感表达。当 AI 承担 70% 的基础工作时，创作者得以将精力集中于那些决定作品高度的关键领域：世界观的哲学深度、人物的灵魂塑造、叙事的结构创新……这正是人机协同时代创作价值的终极回归。

1.2.2 打破创作瓶颈，激发新灵感

在网文创作的漫漫长路上，作者们常常会遭遇各种瓶颈，情节停滞、人物单薄、灵感枯竭等问题如影随形，让创作之路荆棘丛生。然而，随着 AI 技术的崛起，这一困境迎来了新的转机。AI 凭借其强大的文本分析和创意生成能力，为网文作者提供了全新的思路和“创意氧气”，助力他们突破瓶颈，重新找回创作的热情与活力。

1. 网文创作的困境

网文作者常面临创作瓶颈，如情节陷入死胡同、人物脸谱化、灵感枯竭等，导致创作停滞甚至“烂尾”。这些困境不仅影响进度和心情，还可能消磨创作热情。然而，AI 技术凭借其超强的文本分析能力，为作者打开新思路，提供“创意氧气”，助力其突破瓶颈。

写作这条路，风光无限，但也常有“卡壳”的时候。即使是经验丰富的网文作者，也难免撞上那堵叫“创作瓶颈”的墙。具体表现五花八门。

（1）情节“死胡同”

故事讲到一半，感觉所有可能的桥段都用尽了，主角下一步该干吗？反派还有什么新招？怎么推都推不动，仿佛进了死胡同。

（2）人物“脸谱化”

主角或配角写着写着，感觉性格模糊了，行为模式固定了，缺乏新鲜感和深度，读者一眼就能看透，自己也觉得索然无味。

（3）灵感“大旱季”

大脑一片空白，对着文档发呆半天，一个字也敲不出来。想开新坑，却找不到让人眼前一亮的切入点；想续写旧文，又觉得味同嚼蜡。

这种“卡文”的痛苦，网文作者都懂。它不仅影响创作进度和心情，更可能消磨热情，甚至让作品“烂尾”。

而AI技术的出现，就像是为困在瓶颈中的作者打开了一扇新的窗户，送来了清新的“创意氧气”。AI的核心优势在于它拥有超强的阅读和分析能力。它能快速“消化”海量的文本信息，从中识别出各种故事模式、人物塑造手法、情节转折点，以及不同时代、文化背景下的流行元素。

Tips

AI能快速“消化”海量的文本信息，这里强调的是技术能力，而非具体内容。

2. AI助力打破创作瓶颈

那么，AI具体如何扮演“灵感催化剂”的角色呢？下面举个更具体的例子。你正在写一部现代都市爱情小说。男女主角经历了相识、相知，感情正在升温，但你总觉得他们的感情发展有点“平平无奇”，陷入了“如何让他们的关系更独特、更深刻、更令人信服且不落俗套”的困境。你试了好几种常见的套路——误会、第三者、家庭阻力，都觉得不够新鲜有力。

（1）点子生成器

这时，可以借助AI工具，把当前情节梗概和困扰告诉AI。AI将基于它对大量爱情故事的“理解”，如甜宠、虐恋、破镜重圆、奇幻爱情等，结合当下社会热议的情感话题，如“独立与依赖的平衡”“虚拟世界中的真实情感”“跨文化恋爱”等，生成多个新颖的情节发展方向或冲突点，见表1-8。

表1-8 AI基于点子生成的情节

点子	具体说明
引入一个特殊的“媒介”	比如一个能短暂交换身体的魔法物品/科技装置，让男女主角被迫体验对方的生活和内心隐秘，加深理解的同时也制造戏剧冲突。
设定一个独特的“外部压力源”	比如两人共同发现了一个能影响城市未来的秘密，在守护秘密的过程中，他们的信任和感情面临极端考验，超越了普通的情爱纠葛。
聚焦一个“非典型情感困境”	比如一方是“情感认知障碍者”，另一方如何用非常规方式表达爱意、建立连接？或者两人因某个共同目标（如拯救一个濒临倒闭的社区老店）而结缘，爱情在共同奋斗中萌芽并升华。

（2）视角转换器

AI 可能会跳出你习惯的思维框架，提出一些你从未考虑过的角色视角或叙事方式。比如：“如果从这个看似无关的配角（如邻居老人、主角的宠物）的视角来看待这段感情的发展，会不会挖掘出新的深意和感动？”

（3）元素搅拌机

AI 擅长将看似不相关的元素进行创意组合。它可能提议：如果把“时间循环”的概念融入都市爱情片会怎样？主角每次争吵或关系陷入危机时就会回到某个关键节点，他们能否在一次次“轮回”中找到真正解决问题、增进感情的方法？或者加入一些轻科幻、奇幻元素，如何服务于核心的爱情主题？比如一个能预知情感片段的小道具。

AI 带来的核心价值在于突破思维定式、点燃灵感火花、避免落入套路化陷阱、提升作品吸引力和创新性，见表 1-9。

表1-9 AI助力打破瓶颈的核心价值

打破瓶颈	具体表现
突破思维定式	AI提供大量你个人经验库之外的选项，强行把你的思维从习惯的轨道上“拽”开，看到更多可能性。
点燃灵感火花	即使AI生成的某个点子本身不完全适用，但它就像一块打火石，很可能“咔嗒”一声，瞬间点燃你脑海中那个真正属于你的绝妙主意！你可能会想：“这个方向有意思！不过如果改成这样……就更符合我的设定了！”
避免套路化陷阱	提供更多元、更前沿（结合当下流行文化、社会思潮）的构思方向，有效避免故事陷入“霸道总裁爱上我”“误会分手又和好”等让读者已审美疲劳的老套路。
提升作品吸引力和创新性	这些由AI催化产生的新灵感、新角度，经过作者的筛选、打磨和再创作，就能让作品情节更曲折、人物更立体、设定更新颖，从而在竞争激烈的网文市场中脱颖而出，焕发出独特的活力和吸引力。

Tips

AI是强大的灵感助手和思维拓展工具，但它生成的只是“素材”和“可能性”。最终的选择权、判断力和深度创作，永远掌握在作者手中。你需要用你的审美、经验和故事掌控力，去芜存菁，用AI提供的“灵感火花”锻造出属于你的精彩故事。用好AI这个“创意催化剂”，能让你的创作之路走得更顺畅，灵感更丰沛。

1.2.3 降低创作门槛，拓展多元变现途径

AI为网文创作搭建了“友好脚手架”，从启动创作、提供即时反馈、激发灵感到辅助设定，全方位助力创作者跨越门槛，实现“人人可写、边学边写、创意民主化”，让创作更易上手、更高效，但最终赋予作品灵魂的仍是作者自身的情感与思考。

1. AI——网文创作的“友好脚手架”

曾几何时，网文创作似乎是“天赋党”和“毅力帝”的专属领域。

它要求创作者“笔杆子够硬”：扎实的遣词造句功底，流畅叙事的能力，非一日之功；“脑洞深似海”：构建庞大世界观、设计曲折情节、塑造鲜活人物，需要持续不断的想象力迸发；“坐得住冷板凳”：动辄百万字的更新压力，对精力和毅力是巨大的考验。

这些门槛，让无数怀揣故事梦的普通人望而却步，空有灵感却难以下笔成章。

AI辅助写作工具的兴起，如同为网文世界架设了一座“友好脚手架”，让更多人得以攀上创作的舞台。

（1）“从零到一”的启动器

对于写作新手或“想法很多但下笔困难”的人来说，AI是绝佳的“起跑助推器”。可以描述你的核心创意：“我想写一个社恐少女意外获得能和动物沟通的能力，在城市里帮助小动物的故事。”

AI能据此快速生成故事开头、场景描写，甚至角色对话的初稿。这解决了“面对空白文档无从下手”的问题，提供了一个可修改、可完善的“毛坯房”。

（2）“写作教练”在身边

AI不仅仅能生成文字，更是学习伙伴。

当新手作者写了一段文字，AI可以分析其流畅度、节奏感，甚至指出重复用词、逻辑漏洞，提出优化建议，比如：“这段环境描写可以更具体些，增加感官细节。”“这个转折略显生硬，是否考虑过铺垫？”这种即时、低成本的反馈，是帮

助新人快速提升写作技巧的宝贵资源。

同时，新手作者可以让 AI 分析特定风格，比如“轻松幽默”“深沉悬疑”，并尝试模仿其片段，在实践中理解不同风格的写作要领。

（3）“灵感填充剂”

卡在某段具体描写（如一场打斗、一次宴会）时，AI 能快速提供多种描写方案供你选择和给你启发，大大节省了“硬憋”细节的时间和精力。

（4）“设定辅助师”

构建复杂的世界观、家族谱系、力量体系。AI 可以帮助整理、生成和补充设定细节，确保逻辑自洽，让新人也能驾驭更宏大的故事框架。

（5）核心价值

AI 网文创作的核心价值主要体现在三方面：人人可写、边写边学、创意民主化（见表 1-10）。

表1-10 AI网文创作的核心价值

AI 网文创作	具体表现
人人可写	显著降低了技术性门槛（文笔、基础结构）和心理门槛（启动困难），释放了强大的潜在创作力量。
边写边学	通过AI辅助实践，新人能在创作过程中高效积累经验，提升写作水平，实现从“依赖AI”到“驾驭AI”的成长。
创意民主化	更多元化的声音、更丰富的故事类型得以涌现，极大地繁荣了网文生态。一个精彩的点子，不再因为作者初始写作技巧的不足而被埋没。

Tips

AI 生成的初稿是“地基”和“砖瓦”，真正的“建筑设计师”和“灵魂注入者”永远是作者本人。你需要投入自己的情感、思考和对人物的理解，将 AI 提供的素材转化为具有个人风格和独特魅力的作品。AI 是帮你“入门”和“提速”的工具，而非替代你的创造力。

2. AI——网文 IP 的“超级催化剂”与“变现多面手”

网文的商业价值，早已超越了单纯的“付费订阅”。AI 技术的深度介入，正以前所未有的方式拓宽变现渠道，加速 IP 价值裂变，构建更稳固的产业生态。

（1）精准挖掘“IP 金矿”

凭借“数据透视眼”，AI 能够精准分析网文作品的多维数据，挖掘角色人气、情节高光点、世界观延展性及市场匹配度，为版权方提供科学的 IP 评估和改编建议，助力发现高价值作品。同时，AI 赋能多元化改编，加速影视化剧本创作、动漫/游戏角色设计、衍生内容生成，并实现精准营销，全方位提升 IP 的商业价值，见表 1-11。

表1-11 AI精准挖掘“IP金矿”的具体表现

挖掘维度	具体表现
数据透视眼	AI能高效分析海量网文作品的多维数据，并且精准识别哪些角色（主角、配角甚至反派）拥有超高读者黏性和讨论热度（粉丝量、同人创作量、话题度），具备“出圈”潜力。
情节高光点	找出让读者情绪峰值最高（如“爽点”“泪点”“悬念点”）的关键情节段落，这些往往是改编时需要重点保留和放大的核心。
世界观延展性	评估作品的世界观设定（如独特的魔法体系、未来科技、社会结构）是否足够新颖、完善且具有跨媒介开发（影视、游戏、动漫）的拓展空间。
类型与市场匹配度	分析作品风格与当前影视、游戏、动漫市场的流行趋势和空缺领域的契合度。
“潜力股”推荐官	基于以上分析，AI能为版权方、影视公司、游戏开发商等提供科学、客观的IP价值评估报告和改编潜力建议，帮助他们在浩如烟海的网文中，更精准、高效地发现“明日之星”和“价值洼地”，降低投资风险，不再仅仅依赖编辑经验和“爆款”直觉。

（2）赋能“多元化改编”

AI 不仅是“发现者”，更是“赋能者”，助力 IP 在多个领域创造价值，见表 1-12。

表1-12 AI赋能“多元化改编”的具体表现

赋能维度	具体表现
影视化剧本辅助	将小说文本自动拆解为场景、对话、动作提示，甚至初步生成分场大纲或剧本片段，为专业编剧提供高效的工作基础，加速改编进程。
动漫/游戏角色与场景设计	AI可以根据文字描述，生成符合角色设定和世界观氛围的概念图、场景草图，甚至动态分镜，为美术团队提供直观的视觉参考和灵感起点，大幅提升前期设计效率。
衍生内容自动生成	基于原著和角色，AI可以辅助生成角色番外小故事、背景资料补充，甚至互动对话脚本，用于粉丝运营、周边产品文案、轻量级互动游戏等，持续维系IP热度，挖掘长尾价值。
个性化推荐与精准营销	分析不同平台用户对IP及其衍生内容的偏好，实现跨平台的精准推送和定制化营销，最大化触达目标受众。

（3）构建“变现生态圈”

从“一鱼多吃”的多元开发，到“流量互哺”的受众引流，再到“长尾收益放大器”的价值挖掘，AI 为网文 IP 的全产业链拓展提供了强大助力，让作品在不同领域实现价值最大化，见表 1-13。

表1-13 通过AI构建“变现生态圈”的具体表现

变现方式	具体表现
一鱼多吃	一个成功的网文IP，在AI的催化下，可以同步或分阶段开发成：长/短剧集、电影；动画番剧、动画电影；手游、端游、互动叙事游戏；有声书、广播剧；实体书、周边衍生品（服装、手办等）；线下主题体验（展览、密室逃脱等）。
流量互哺	不同形态的改编作品吸引各自的受众群体，又能相互引流、扩大IP的整体影响力。例如，一部热播的网文改编剧，会带动原著小说和有声书的销量；一款成功的衍生游戏，又能为影视续集积累粉丝。
长尾收益放大器	即使是非顶级爆款的作品，AI也能帮助找到其最适合的改编方向或衍生领域（比如某个人气配角特别适合用于开发独立漫画），让更多作品有机会实现价值，作者获得更持续多元的收入。

（4）核心价值

随着网文产业的升级，变现渠道从单一付费阅读拓展到影视、动漫、游戏等多元矩阵，IP 价值评估与开发更加科学，产业效率大幅提升，构建了作者、下游产业和用户多方受益的良性生态，见表 1-14。

表1-14 网文产业生态核心价值的具体表现

核心	具体表现
变现渠道几何级拓宽	从单一的付费阅读，裂变为影视、动漫、游戏、衍生品等全方位、立体化的收入矩阵。
IP价值评估与开发科学化	数据驱动决策，降低投资风险，提高改编成功率。
产业效率革命性提升	加速IP从文字到多形态产品的转化流程，缩短变现周期。
构建良性产业生态	更多作者（包括中腰部作者）受益于多元变现，获得更丰厚和可持续的回报；下游产业（影视、游戏等）获得更丰富、更精准的优质内容源；读者/用户享受到更丰富、更沉浸的IP体验。整个网文及相关文化产业形成更健康、更具活力的正向循环生态系统。

AI 技术，一面是普惠的“创作脚手架”，让网文创作的梦想照进更多普通人的现实，为行业注入源头活水；另一面是强劲的“IP 引擎”，驱动网文价值突破文字边界，在多维领域放射光芒，实现商业价值的最大化裂变。它正在重塑网文行业的创作生态与商业模式，开启一个“全民可创作，IP 广生金”的崭新时代。关键在于，创作者和产业各方如何善用这把利器，在降低门槛和拓宽道路的同时，始终坚守内容为王、创意至上的核心。

第 2 章

打造 AI 写作核心能力

掌握 AI 写作工具是开启高效创作之门的关键。本章将带领网文创作者探秘主流的 AI 写作工具，盘点它们的特点与功能，并分享如何挑选最适合自己的工具。同时，本章深入讲解构建有效 AI 写作指令的方法与技巧，结合实战案例分析，帮助读者掌握 AI 写作的精髓，打造属于自己的核心写作能力，为后续的创作奠定坚实基础。

2.1 探秘AI写作工具

在网文创作的浩瀚星空中，AI 写作工具犹如璀璨星辰，为作者们照亮了前行的道路。它们各具特色，功能各异，从 DeepSeek 的深度语义理解，到 Kimi 的创意激发，再到腾讯元宝的中文优势，豆包的交互体验，以及 ChatGPT 的全球通用性，每一种工具都为创作带来了新的可能。但如何在这些工具中找到最适合自己的那一款，是每个创作者必须面对的问题。

2.1.1 主流AI写作工具大盘点

在当今数字化写作时代，AI 写作为网文创作者提供了前所未有的便捷与高效。以下是对主流 AI 写作工具的全面盘点，帮助创作者一探究竟。

1. DeepSeek

DeepSeek 专注于文本创作领域，致力于成为用户高效的文字协作伙伴。其核心能力在于激发创作灵感与系统化地梳理逻辑，协助搭建清晰、坚实的文章框架。

在内容生成方面，DeepSeek 能依据主题快速提供观点阐述和案例支撑，形成初稿的基础。尤为擅长语言的精准表达与深度打磨，优化措辞、句式结构和整体行文，显著提升文本的流畅度、专业性和表达效率。

同时，DeepSeek 具备强大的文风适配能力，能根据不同目标读者（如专业学者、普通受众）和具体场景需求（如严谨的学术论文、正式的商业报告、生动的营销文案或日常说明）灵活调整语气、风格和表达策略。

此外，DeepSeek 还可以提供细致的文本润色服务，检查语法准确性、逻辑连贯性与结构合理性，确保最终成品的质量。其目标是与用户紧密协作，共同克服创作障碍，高效地产出逻辑清晰、表达有力且具有影响力的优质文字作品。其对话界面如图 2-1 所示。

图2-1　DeepSeek对话界面

2. Kimi

情节发展受阻，陷入创作僵局。智能助手在长文本创作与管理领域展现出显著优势。其核心竞争力在于强大的超长上下文处理能力（支持高达128K tokens），它能深度理解、整合和分析整本书籍、复杂研究报告或大型项目文档等海量信息，为系统性写作奠定坚实基础。

这一能力可确保作者在创作过程中始终保持逻辑连贯，有效追踪核心论点、人物关系与数据线索，避免长文写作中常见的内容脱节、逻辑断裂与重复表述问题。

Kimi擅长构建并维护清晰、层次分明的宏大叙事结构，协助用户规划章节布局、梳理复杂论证链条。同时，它能高效完成跨文档的知识整合与引用管理，轻松处理多源信息，保障内容的一致性与准确性。

在文本精练与优化方面，Kimi不仅能对局部段落进行打磨，还可进行全局性的结构优化、冗余内容删减与风格统一调整，显著提升长篇作品的整体流畅度、专业性与可读性。这些特性使其成为处理学术论文、商业白皮书、小说创作、深度报告等复杂长文本项目的可靠助手，其对话界面如图2-2所示。

图2-2 Kimi对话界面

3. 腾讯元宝

腾讯元宝作为国内知名科技公司腾讯推出的AI工具，依托强大的技术支持与丰富的中文语料库，在中文文本处理方面表现突出。其能精准把握中文的语义与文化内涵，对于作者创作具有浓郁中国风的网文作品而言，是不可多得的得力助手。腾讯元宝不仅能提供高质量的写作建议，还能根据用户需求生成符合特定风格与主题的文本，助力打造独具魅力的文学作品，其对话界面如图2-3所示。

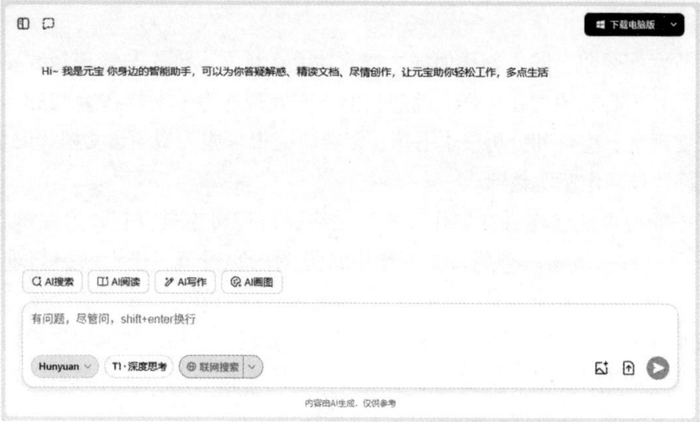

图2-3 腾讯元宝对话界面

4. 豆包

豆包以出色的交互体验和个性化服务受到许多创作者的喜爱。它能够与用户进行流畅的对话，根据用户的提问和指令，实时生成有针对性的回答和文本内容。这种交互式写作体验，让作者仿佛与一位虚拟的写作伙伴并肩作战，激发创作灵感。豆包在处理复杂的逻辑关系和情节构建方面也有着不俗的表现，能够帮助作者梳理故事线索，使作品结构更加严谨。同时，豆包还提供了丰富的个性化设置，用户可以根据自己的喜好调整生成文本的风格和语气，使作品更具个人特色，其对话界面如图 2-4 所示。

图2-4 豆包对话界面

5. ChatGPT

ChatGPT 是目前最为人熟知的 AI 写作工具之一。它基于强大的语言模型，能够理解并生成自然流畅的文字内容。无论是撰写小说情节、创作诗歌，还是构思故事大纲，ChatGPT 都能迅速给出令人满意的初稿。其优势在于强大的语言理解和生成能力，能够处理多种文体和风格，且不断更新优化，以适应不同用户的写作需求。ChatGPT 在全球范围内拥有庞大的用户群体，社区活跃度极高，用户可以分享使用经验和创作成果，互相学习和交流，其对话界面如图 2-5 所示。

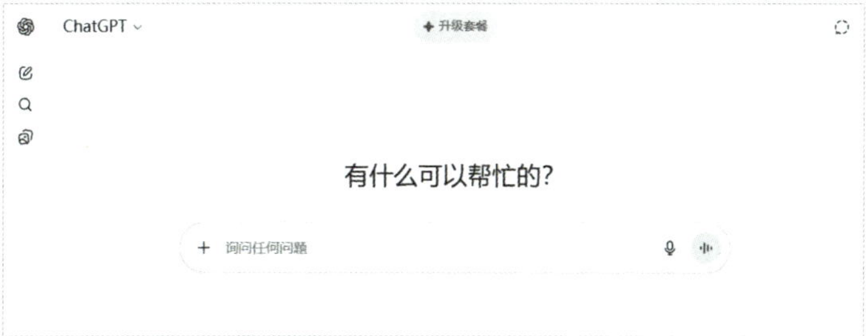

图2-5　ChatGPT对话界面

这些主流 AI 写作工具各具特色，为网文作者提供了多元化的选择。在众多工具中挑选出适合自己的那一款，才是开启高效写作之旅的关键。

2.1.2 如何挑选最适合的AI工具

面对琳琅满目的 AI 写作工具，挑选最适合自己的那一个并非易事。基于 AI 特性与创作流程的深度适配，本书采用双核驱动策略。

大纲架构阶段：选用 DeepSeek 作为核心引擎，充分发挥其逻辑框架构建与精准表达的优势，系统梳理知识脉络、锚定关键论点，输出结构严谨、层次清晰的创作蓝图。

章节扩写阶段：启用 Kimi 主导内容生成，它支持一次性处理约 10 万字的长文本，依托其海量信息整合与长文本连贯性控制能力，对大纲节点进行深度拓展。在确保跨章节逻辑自洽的同时，高效完成资料溯源、案例填充及学术化表达，构建完整的内容体系。

2.2 掌握AI写作指令的精髓

在 AI 写作过程中，指令是连接创作者意图与 AI 输出的核心桥梁。精准有效的指令能引导 AI 准确理解需求，生成符合预期的优质内容；而模糊或不当的指令则可能导致输出偏离目标，降低效率。掌握 AI 写作指令的精髓，不仅能显著提升写作效率，更能激发创意潜能，使 AI 成为创作路上的高效协作工具，共同打造卓越作品。

2.2.1 构建有效指令的方法与技巧

在AI写作中，指令是与AI沟通的关键桥梁，其质量直接决定了生成文本的质量。以下是一些构建有效指令的方法与技巧，助力创作者更好地驾驭AI写作工具。

1. 明确目标与主题

下达指令前，必须清晰界定写作目标与核心主题。例如，创作玄幻小说时，指令应明确为“创作一部玄幻题材小说”。进一步细化目标，如“创作一部修真主题玄幻小说，主角从平凡少年成长为一代仙尊”，能使AI精准把握创作意图，生成高度契合主题的内容。明确的目标与主题为AI提供清晰的方向，避免无关或偏离主题的输出，从而提升效率与质量。

2. 规范指令格式

采用简洁、明确、结构化的指令格式，有助于AI高效理解与执行。避免模糊或复杂表述。例如，“生成一个关于爱情的故事”这一指令过于模糊，而“生成一个青梅竹马的爱情故事开头，约500字”则具体明确。建议采用结构化指令：先说明写作类型（小说、散文等），再明确主题与要求（字数、风格等），最后提出具体写作内容（开头、情节等）。结构化指令使AI对需求理解更清晰，输出更符合预期。

3. 提供上下文信息

在一些复杂的写作场景中，提供适当的上下文信息能够帮助AI更好地理解你的指令。例如，续写文章时，在指令中提供前文的关键情节、人物关系等上下文信息，能够让AI在续写时保持故事的连贯性和一致性。如指令“在前文中，主角已经获得了神秘力量，现在需要续写他在获得力量后遇到的第一个挑战，字数约1000字”，通过提供上下文信息，AI能够更好地融入你的创作世界，生成与前文紧密相连的文本内容，使整个作品更加完整和流畅。

2.2.2 指令优化实战案例分析

理论与实践相结合，才能更好地掌握指令优化的精髓。

通过对成功案例的拆解，可以提炼出四类指令优化法则，通过对冲突、主线、人物、长文本的优化，系统提升AI生成内容质量，如图2-6所示。

问题类型	原始指令特征	优化策略	效果提升点
冲突单薄化	抽象情绪词（愤怒、悲伤）	关联主线+分层递进	冲突推动剧情发展
主线模糊	开放式事件链	问题链条法+逻辑约束	消除无效事件
人物脸谱化	单一动作描写	多维度细节绑定	增强角色辨识度
长文本断裂	无记忆锚点	关键要素强化+分段生成	维持跨章节连贯性

图2-6　四类指令优化

结构化提示词工程是突破AI局限的核心策略。例如，在生成新人物时，强制要求输入背景锚点："角色——首次出场需包含：①与主角的关系线索；②标志性外貌细节；③当前目标。"此举显著降低了角色突兀出现的概率。

1. 案例一：场景冲突优化

在 Kimi 对话框中输入原始指令，如图 2-7 所示。此时，该指令生成内容如图 2-8 所示。

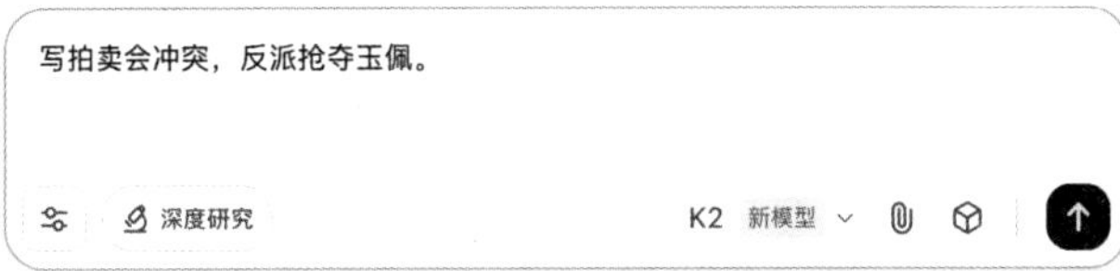

图2-7　在Kimi中输入原始指令

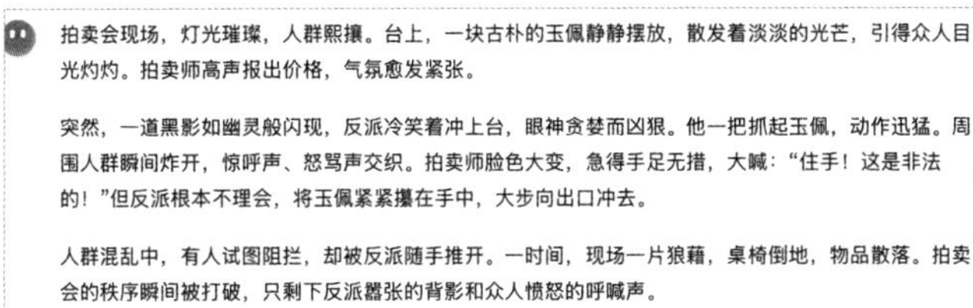

拍卖会现场，灯光璀璨，人群熙攘。台上，一块古朴的玉佩静静摆放，散发着淡淡的光芒，引得众人目光灼灼。拍卖师高声报出价格，气氛愈发紧张。

突然，一道黑影如幽灵般闪现，反派冷笑着冲上台，眼神贪婪而凶狠。他一把抓起玉佩，动作迅猛。周围人群瞬间炸开，惊呼声、怒骂声交织。拍卖师脸色大变，急得手足无措，大喊："住手！这是非法的！"但反派根本不理会，将玉佩紧紧攥在手中，大步向出口冲去。

人群混乱中，有人试图阻拦，却被反派随手推开。一时间，现场一片狼藉，桌椅倒地，物品散落。拍卖会的秩序瞬间被打破，只剩下反派嚣张的背影和众人愤怒的呼喊声。

图2-8　原始指令生成的内容

单纯的指令生成导致角色动作模式化，如"他一把抓起玉佩，动作迅猛"，冲突与主线关联薄弱，未产生剧情推进价值。将指令优化后，输入对话框，如图 2-9 所示。生成的内容如图 2-10 所示。

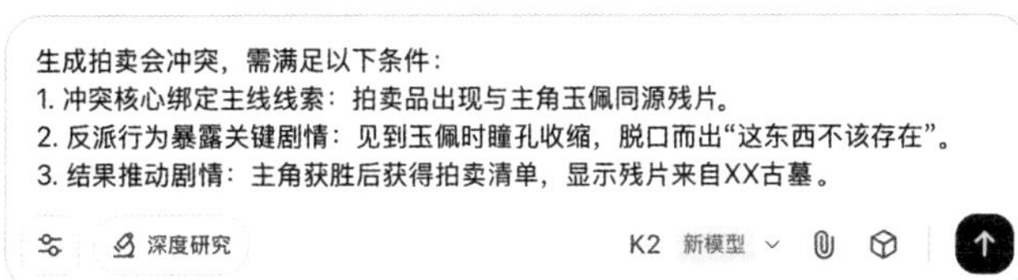

图2-9　在Kimi中输入优化后的指令

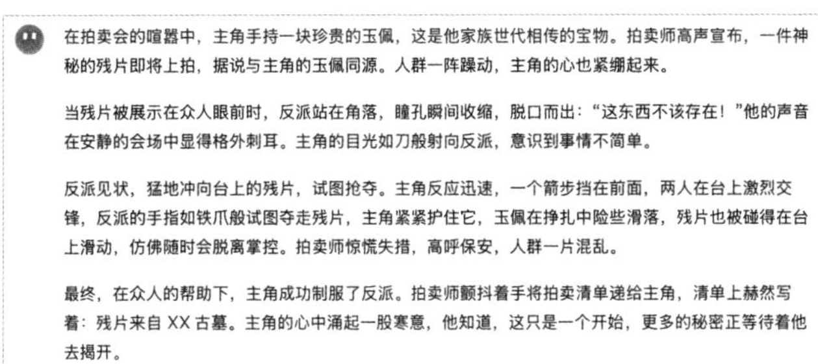

在拍卖会的喧嚣中，主角手持一块珍贵的玉佩，这是他家族世代相传的宝物。拍卖师高声宣布，一件神秘的残片即将上拍，据说与主角的玉佩同源。人群一阵躁动，主角的心也紧绷起来。

当残片被展示在众人眼前时，反派站在角落，瞳孔瞬间收缩，脱口而出："这东西不该存在！"他的声音在安静的会场中显得格外刺耳。主角的目光如刀般射向反派，意识到事情不简单。

反派见状，猛地冲向台上的残片，试图抢夺。主角反应迅速，一个箭步挡在前面，两人在台上激烈交锋，反派的手指如铁爪般试图夺走残片，主角紧紧护住它，玉佩在挣扎中险些滑落，残片也被碰得在台上滑动，仿佛随时会脱离掌控。拍卖师惊慌失措，高呼保安，人群一片混乱。

最终，在众人的帮助下，主角成功制服了反派。拍卖师颤抖着手将拍卖清单递给主角，清单上赫然写着：残片来自 XX 古墓。主角的心中涌起一股寒意，他知道，这只是一个开始，更多的秘密正等待着他去揭开。

图2-10　优化后的指令生成的内容

提示词优化后，反派台词巧妙暗示玉佩背景谜团，拍卖清单自然指向下一个探索场景。该冲突成功贡献三条主线，显著提升情节张力与叙事效率。

2. 案例二：人物刻画优化

在 Kimi 对话框中输入原始指令，如图 2-11 所示。此时，该指令的生成内容如图 2-12 所示。

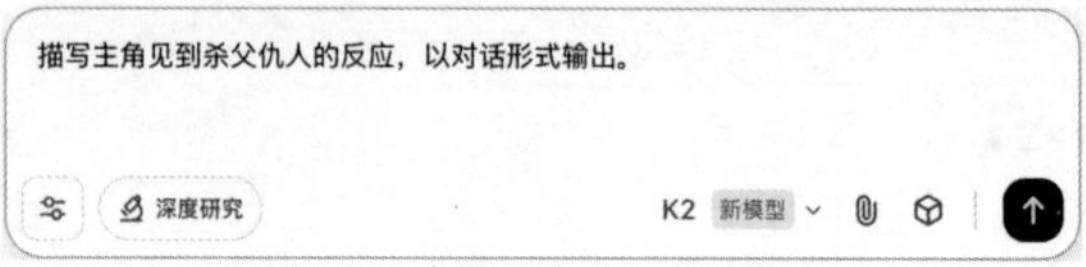

图2-11 在Kimi中输入原始指令

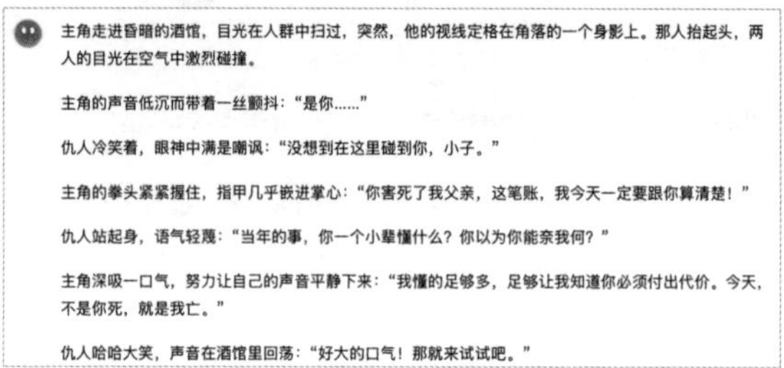

图2-12 原始指令生成的内容

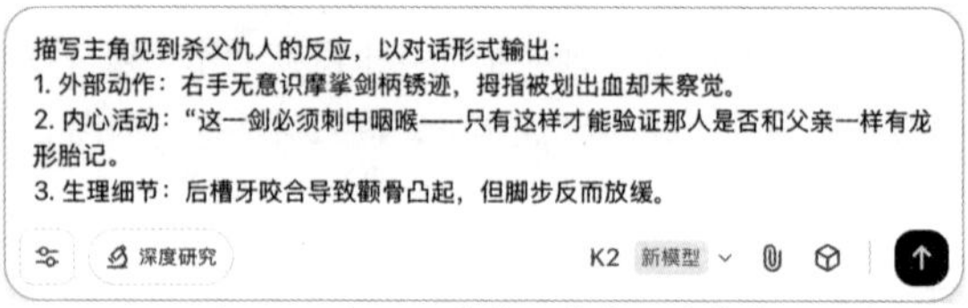

图2-13 在Kimi中输入优化后的指令

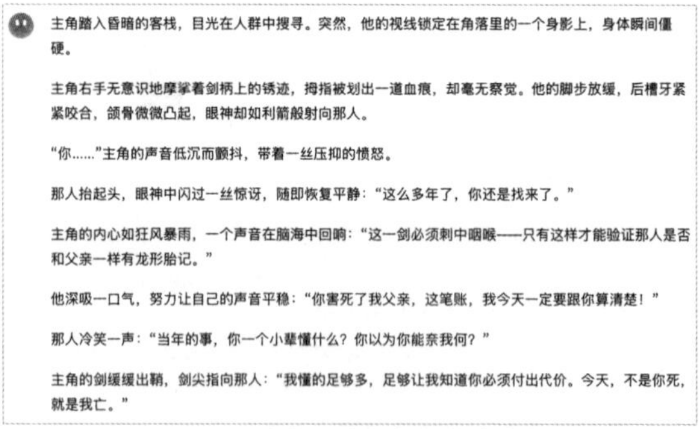

图2-14 优化后的指令生成的内容

对话内容因指令单一，缺乏基于实际情境的自然交互与深度信息传递，导致内容空洞且缺乏实质价值。在场景描写方面，既未体现独特视角，也无创新性表达，多为常规化呈现。在这种情况下，整体内容的吸引力大幅下降，难以有效抓住受众注意力，更无法引发其持续关注与深入探究的兴趣。将指令优化后输入对话框，如图 2-13 所示。生成的内容如图 2-14 所示。

经过优化后的指令生成的内容，在内容架构、逻辑层次与表达精度上均实现显著提升，整体表现力得到实质性增强。这种优化效果直接体现在信息传递效率的提高和核心价值的凸显上，使得文章能够更精准地匹配读者需求，从而有效吸引并持续锁定读者的注意力。

第3章 精准定位网文创作方向

在网文创作的多元化生态中，精准定位创作方向是提升作品市场竞争力的核心前提。本章将系统剖析当前热门网文类型的市场现状与发展趋势，结合权威数据挖掘潜在的创作机遇。同时，引导创作者通过“四维模型”评估个人创作优势，并落地“AI+ 创作”的协同策略，助力创作者在网文领域找准差异化赛道，构建兼具个人特色与市场适应性的创作体系。

3.1 剖析热门网文类型

创作启动前，精准把握市场主流题材的热度分布、用户偏好及发展趋势，是规避创作风险、提升作品曝光率的关键。本节基于权威机构发布的行业数据，梳理主流网文题材的市场现状，预判未来趋势，为创作者提供数据驱动的题材选择依据。

3.1.1 不同题材网文市场现状

2025 年上半年，中国网络文学市场在题材多元化、技术赋能和 IP 生态发展的推动下呈现显著变化。以下为各题材市场现状总结。

1. 现实题材：市场份额快速攀升，政策与用户需求双驱动

现实题材流量实现高速增长，跃居增速第二的品类。番茄小说 40 岁以上用户占比由 5% 升至 15%，显示“银发族”成为重要增量来源。

第九届现实题材网络文学征文大赛吸引了 5.4 万名作家、5.67 万部作品，创历史新高。《云去山如画》《关内关外》等 14 部作品获奖，《向上》入选“中国好书”月榜，聚焦职场、城市化、非遗等议题。《关内关外》《我不是文豪》《烟云华强北》《守护蒙玛拉尔》《血花屋》等作品已进入实体出版及有声开发阶段，多部作品正在被影视机构重点关注。

现实题材作品成为增长引擎，职场、乡村振兴、科技伦理等主题受关注，部分平台现实题材读者规模同比增长超过 80%。

2. 悬疑推理：垂直赛道爆发，互动性与短视频传播助推热度

悬疑推理成为头部平台增速最快的垂直品类，用户规模年增幅超过 50%。

“民俗 + 克苏鲁”、规则怪谈、社会热点结合成为主流，短视频二创推动其传播。典型案例包括《坏小孩》《暗夜行者》《我有一座冒险屋》《十日终焉》等悬疑佳作。

抖音、快手等平台的“悬疑片段二创”成为流量入口，如《坏小孩》（原著）改编网剧《隐秘的角落》相关二创视频播放量超过 50 亿次，带动原著阅读量增长 300%。

《暗夜行者》在晋江文学城连载期间，凭借“案件与主角身世绑定”的叙事设计，均订（平均订阅）突破 10 万，入选晋江文学城 2024 年悬疑类前三名。

3. 科幻题材：技术流与元宇宙叙事引领升级

科幻作品在技术创新与硬核设定下持续高热，新增作品量同比增长 18%。

纯科幻作品占比下降，“科幻 + 修仙”“科幻 + 悬疑”类融合题材占比提升，如《深空之影》（星际文明＋ AI 觉醒）、《星空彼岸》（元宇宙生存）等作品在起

点科幻榜稳居前列。《三体：黑暗森林》的衍生作品，该作品在 WebNovel（阅文海外平台）多语种版本中，付费率超过纯科幻作品 20%。

4. 玄幻、仙侠：传统题材创新突破，反套路与幽默风格突围

虽然市场份额被新兴题材分流，但玄幻、仙侠仍是头部作品集中的品类，起点中文网月票榜前十中该题材占比约 40%，核心创新方向为“反套路修仙”“家族权谋群像”。

《凡人修仙传》通过“主角无‘金手指’，靠‘谨慎算计’升级”的设定，在起点中文网均订突破 20 万，成为起点仙侠品类“反套路”标杆。

《诡秘之主》续作《宿命之环》以“多主角视角交织”的群像叙事，连载期间章节平均停留时长超过 8 分钟，较传统单主角玄幻作品提升明显。

5. 女性文学与细分垂直赛道：多元需求驱动小众题材崛起

女性文学、儿童文学、职场文学等细分领域用户增长显著，部分平台女性读者占比达 62%。同时，“儿童文学”“职场文”“游戏文”等细分领域增速显著。

《星汉浮光》在潇湘书院均订超过 8 万；《全职高手》衍生作品在起点女生网连载期间，“电竞女性角色”相关情节互动率远超男性角色。

3.1.2 市场趋势预测与机会挖掘

网文市场风向瞬息万变，AI 正成为趋势预判与机会挖掘的核心工具。它通过解析番茄、起点等平台的真实数据，捕捉题材热度变化、用户偏好迁移，为作者指明蓝海方向，让创作者在海量信息中精准锚定市场机会。

1. AI 驱动的题材洞察与用户画像

阅文集团在 AI 赋能内容创作领域的实践具有行业代表性。其 2025 年上线的“作家助手”工具集成了 DeepSeek-R1 大模型，通过分析平台海量阅读数据，为创作者提供实时题材热度预测、用户偏好标签及情节发展建议。

数据显示，该工具日活跃用户增长超过 30%，其中 AI 功能的周使用率超 50%，平均单日使用“智能问答”功能的作家数量增长 10 倍。在用户画像层面，系统可精准识别如“悬疑 + 科幻”“古代言情 + 轻喜剧”等交叉题材的受众群体，指导作家调整创作方向。此外，阅文通过 AI 翻译模型强化网文出海能力，翻译效率翻倍，成本大幅降低，使 AI 翻译作品在海外平台畅销榜前 100 中占比达 21%，印证了 AI 在跨文化用户洞察中的实际价值。

2. 跨平台数据融合与趋势推演

番茄小说在字节跳动生态内实现了跨平台数据的深度融合。其通过分析番茄小说 App 的阅读数据、抖音的短视频热度及今日头条的资讯偏好，精准捕捉到

"古风甜宠""悬疑短剧"等题材市场需求的爆发。基于此，番茄与优酷等平台合作推出的《锁爱三生》《当家小娘子》等IP改编短剧，先后斩获"年度值得关注微短剧"奖项。阅文集团则联合腾讯动漫，将网文数据与动漫产能数据融合，通过"内容热度-用户画像-改编可行性"三维模型，加速《斗破苍穹》《全职高手》等IP的可视化进程，相关动画作品在2024年全网国产动画热度排行榜中占据14席。

3. IP衍生潜力预判与内容布局

AI对IP衍生潜力的评估已形成行业级指标体系。中国电影家协会编剧教育工作委员会和北京电影学院中国电影编剧研究院在2021年联合发布的《2019—2020年度网络文学IP影视剧改编潜力评估报告》中，搭建了包含29个二级指标的量化模型，其中"世界观完整度""角色弧光丰富度"等为核心参数。该报告在影视剧上线前即将《庆余年》列为第一梯队，指出其"古代权谋+现代思维"设定具备多媒介叙事优势，剧集播出后，起点读书后台数据显示原著月活增长300%，验证了模型的预判能力。

晋江文学城在2020—2021年度创作者大会中公开的"衍生适配度分析工具"亦将《魔道祖师》评为"群像角色鲜明、场景可视化强"的高适配作品，其动画版在腾讯视频累计播放量105亿次，衍生品销售额超2亿元，成为跨媒介开发的标杆案例。

4. 风险预警与策略调整

在使用AI创作网文时，虽然能提升效率、拓展思路，但也隐藏着多维度风险，若忽视可能导致版权纠纷、内容质量问题，甚至影响作者长期创作生涯。接下来我们将从版权、内容质量、创作独立性、合规性、平台规则五大核心维度详细拆解风险预警及应对策略，见表3-1。

表3-1 AI创作网文的风险预警及应对策略

核心维度	风险预警	应对策略
版权风险	版权是AI写网文最核心的风险，目前全球范围内对AI生成内容的版权归属、权利边界尚未完全明确，容易引发法律纠纷，主要体现在：AI训练数据的侵权风险、AI生成内容的版权归属争议、用户使用AI的授权风险。	深度干预AI生成内容，保留修改记录，证明"人类创造性贡献"，比如重写70%以上的情节和语言，仔细阅读AI用户协议，避免签署"版权出让"条款。
内容质量风险	AI生成内容虽快，但难以达到人类作者对"网文核心吸引力"的把控，容易出现质量问题，导致读者流失。	用AI生成"初稿、大纲"，再通过人类审核，检查逻辑、补充情感细节、优化人设，避免完全依赖AI写关键情节，核心冲突由自己构思。

续表

核心维度	风险预警	应对策略
创作独立性风险	长期依赖AI创作，可能削弱作者的核心竞争力，影响长期创作生涯。	将AI定位为“辅助工具”，如查资料、写背景设定等，而非“替代品”，定期进行纯人工创作练习，维持核心能力。
合规性风险	网文行业对“内容合规”要求严格（如中国的《网络文学出版服务管理规定》），AI可能因“无法识别敏感内容”生成违规内容，导致作者面临严重后果。	投稿前用“违规内容检测工具”（如平台自带的审核助手）排查敏感元素。
平台规则风险	目前多数网文平台（如起点、晋江、番茄）对“AI创作”有明确限制，若作者未遵守规则，可能导致作品无法投稿或变现。	提前查阅平台对AI创作的规定，按要求标注AI使用情况，避免“暗箱操作”。

总之，使用AI工具创作网文的风险本质是“技术工具与创作规律、法律规则的不匹配”，作者需在“效率”与“安全”之间找到平衡——既利用AI提升创作效率，又通过人类的“创造性干预”和“风险把控”，确保作品合法、优质、有竞争力。

5. 典型案例：《诡秘之主》的市场策略

《诡秘之主》以全产业链开发为核心的商业化策略，构建了“内容——商业——文化”三位一体的闭环生态。其核心在于IP开发前置化，连载期间即同步启动多形态改编，动画《诡秘之主：源起》2025年实现全球190个国家同步开播，推出12种语言版本，IMDb（Internet Movie Database，互联网电影数据库）开分9.3登顶Crunchyroll夏季榜，单集最高2.6万张纯手绘原画的工业级制作，打破海外对中国动画的“唯3D论”刻板印象。粉丝运营深耕圈层经济，官方“卷毛狒狒研究会”聚集230万核心用户，Reddit社区3.3万成员形成共创生态，全球创作者大赛征集千余件作品，线下快闪活动吸引10万人参与，社交话题总阅读量超17亿。衍生品开发覆盖21个品类，卡牌GMV（Gross Merchandise Volume，商品交易总额）超2亿，愚者盲盒跻身天猫热销榜前三，与大英图书馆联名画展实现文化增值。

全球化布局成效显著，WebNovel英文版阅读量超4250万，多语言版本引发海外热潮，入藏大英图书馆成为文化输出标杆，海外自发成立Facebook社群超2万个。跨平台协同形成生态合力，腾讯系资源联动索尼影视、快手等外部力量，起点读书主题站汇聚了60万粉丝，支付宝等跨界联名带动曝光增长300%。

通过全球同步定档打击盗版，以《宿命之环》延伸“诡秘宇宙”，实现 IP 长线价值沉淀，为网文 IP 商业化提供了“内容为根、用户为核、全球化为翼”的可复制范式。

3.2 结合AI与自身优势定位

选对故事类型是第一步，如何把你的故事写得又快又好才是关键。本节将教你如何认识自己最擅长的写作风格和特点（比如人物塑造、情节设计和知识储备），并巧妙借助 AI 工具来强化这些优势，让你的创作效率更高，作品更具个人特色。

3.2.1 评估个人创作优势的四维模型

创作的核心竞争力，藏在对自身优势的清晰认知里。评估个人创作优势的四维模型，正是一把精准的标尺——从独树一帜的风格辨识度，到张弛有度的节奏把控力，从鲜活立体的角色塑造力，到扎实深厚的知识储备库，它能帮你系统梳理创作长板，找准发力点，让每一份才华都能精准落地，见表 3-2。

表3-2 评估个人创作优势的思维模型

评估维度	自查方法	常用AI工具	价值说明
风格辨识度	1.分析自己最擅长的语言特点（幽默/严肃/诗意等）。 2.对比同类热门作品差异。	风格分析工具建议使用Kimi。	找到让你与众不同的文字“指纹”。
节奏把控力	1.检查章节结尾是否吸引人。 2.观察读者流失高的章节。 3.记录高潮间隔距离。	章节分析器建议使用豆包。	避免故事平淡或过于急促的关键。
角色塑造力	1.评估主角成长是否合理。 2.检查配角是否必要。 3.测试人物关系逻辑性。	角色关系图谱生成器建议使用DeepSeek。	让读者爱上故事中的“人”而非仅关注情节。
知识储备库	1.列出熟悉的专业领域（历史/科技/医学等）。 2.标记需要补充的知识盲区。	常见AI工具都可以使用。	为故事注入真实感和深度的基石。

这些基于 AI 工具的创作提升方法，为创作者指明了方向。通过精准自查与工具辅助，能有效解决创作中的常见难题，助力形成独特风格、打造精彩故事、塑造鲜活角色，让作品更具吸引力与深度，值得创作者实践运用。

3.2.2 借助AI发挥优势的策略

AI 并非创作的替代者，而是放大优势的利器。想要让 AI 真正为创作赋能，关键在于找到精准的策略——既需依托 AI 强化自身已有的风格、节奏等长处，也需借其补足知识储备、角色塑造等短板。以下策略将带领创作者解锁 AI 与创作的协同之道，让优势更突出，创作更游刃有余。

1. 风格辨识度诊断与优化

不少网文创作者常陷入“文风模糊”“跟风同质化”的困境——写古风却缺古韵，作悬疑却难显张力，明明有故事内核，却因风格无记忆点被读者忽略。而 AI 可成为“文风放大镜”：上传代表作即可拆解语言习惯、叙事结构、情感基调，对比同题材爆款定位差异，从用词频率到场景描写密度给出精准优化方案，帮创作者筑牢专属风格标签，让作品在同类题材中快速脱颖而出，见表 3-3。

表3-3 风格辨识度诊断与优化策略

阶段	AI工具策略	实操建议
风格诊断	使用笔灵AI或星火网文助手的“爆款拆书”功能，输入热榜作品，提取关键词、句式、情绪节奏等风格因子。	将你自己的文本与爆款对比，生成“风格差异热力图”，识别同质化段落。
风格强化	利用墨狐AI的“多模态融合”功能，输入关键词（如“冷感+赛博+克制叙述”），生成风格化段落。	建立“风格素材库”，将AI生成的金句、比喻句式分类存储，后续人工组合。
风格一致性检测	使用WebNovelBench类工具的“文风稳定性评分”功能，检测章节间的风格波动。	设定“风格警戒线”，如情绪密度变化超过20%即人工干预。

2. 节奏把控力修复

网文“节奏崩”是劝退读者的关键：要么单场景拖沓超过千字，要么爽点间隔太长，要么关键剧情断点突兀，明明是好故事却因节奏失衡而流失流量。AI 能通过“剧情树”自动生成“节奏波动图”，再结合同品类爆款节奏模型，给出章节内容分配、冲突设置、结尾断点的调整建议，让剧情张弛有度，牢牢抓住读者的阅读耐心，见表 3-4。

表3-4 节奏把控力修复策略

阶段	AI工具策略	实操建议
风格诊断	将文本输入墨狐AI的“剧情树”功能，自动生成“节奏波动图”，标注情绪低谷与高潮。	结合“黄金三章”原则，检查前3章是否有3次情绪上扬+1次悬念钩子。

续表

阶段	AI工具策略	实操建议
风格强化	使用星火网文助手的“悬念生成器”，在低谷段落插入AI设计的微型钩子，如“身份错位”“物品异常”。	每章结尾用AI生成三种“钩子模板”，人工选择最贴合剧情的一种。
风格一致性检测	通过网文课程平台的“模拟读者留存率测试”，上传章节，AI预测读者在哪些段落可能弃文。	对弃文高峰段落进行“压缩-冲突-悬念”三步修改：删减冗余、增加冲突、埋设伏笔。

3. 角色塑造力升级

很多网文角色易崩塌——前期设定的“温润公子”突然暴躁，“飒爽女主”沦为恋爱工具人，或配角无弧光成“背景板”，让故事感染力大打折扣。AI 可搭建“角色档案库”，实时校验角色行为与设定的一致性，拦截人设崩塌情节；还能依据经典人设模型，为角色设计成长节点与立场转变触发事件，让人物从“纸片化”走向立体鲜活，加深读者情感共鸣，见表 3-5。

表3-5 角色塑造力升级策略

阶段	AI工具策略	实操建议
风格诊断	使用笔灵AI的“角色标签分析”，输入角色台词，检测是否出现“标签模糊”（如高冷人设却说网络热梗）。	建立“角色DNA表”：核心标签（如“利己主义者”）、禁忌行为（如“无偿助人”）、语言习惯（如“反问句”）。
风格强化	利用Claude/GPT类模型的“三维决策树”功能，模拟角色在道德、利益、情感维度的选择。	设计“压力测试场景”（如“主角必须牺牲亲人拯救世界”），用AI生成3种反应方案，选择最符合人设的一种。
风格一致性检测	使用墨狐AI的“多线叙事同步”功能，检测角色关系是否出现逻辑漏洞（如反派突然帮助主角无铺垫）。	绘制“角色动机地图”，用AI标注每个行为的“显性动机”和“隐性动机”，避免人设崩塌。

第 4 章

利用 AI 构建网文创作流程

在网文创作工业化的当下，AI 工具已从辅助工具升级为流程重构的核心引擎。本章基于起点中文网签约作者的实战经验，系统拆解如何将 AI 深度嵌入框架搭建—内容细化—优化完善的全流程。

4.1 AI助力搭建故事框架

故事框架是网文创作的骨架，决定剧情走向、冲突排布与人物逻辑，框架失衡会让后续创作难以为继。AI 的核心价值在于打破传统创作的单一思路与经验风险，输入核心设定后，AI 即可调用千万级爆款框架库，快速生成故事框架，涵盖冲突起点、支线分支及关键转折。

4.1.1 生成小说大纲的AI指令设计

有效的指令设计需包含类型锚点、核心要素和数据约束三部分。以都市异能类小说为例，输入优质指令模板后，等待片刻生成的分卷大纲部分信息如图 4-1 所示。

优质指令模板示例："生成《全球高武》风格的都市异能小说大纲，包含 3 个核心转折点（需体现权力反转）、2 组对立阵营（异能者联盟 vs 基因改造局）、1 个贯穿始终的悬疑线索（主角体内的未知能量来源），要求参考 2023 年起点都市频道 Top10 作品的节奏分布，大纲分卷不超过 5 卷，每卷关键事件标注爽点类型（打脸 / 升级 / 揭秘）"。

分卷大纲

第一卷：废柴觉醒·星尘暴走（字数：20~30万）

关键事件：

1. **40卡气血之辱**：主角林烬先天气血值仅40卡（武道世界底层），被女友林青鸢（A级冰凰血脉觉醒者）当众抛弃，沦为全校笑柄 3 6。
   → **爽点类型**：打脸（当众反讽："今日弃我如敝履，他日跪求攀云梯"）
2. **异能失控事件**：悲愤中体内能量暴走，导致全校检测仪瘫痪，被基因改造局标记为"高危异常体"，遭追捕中逃入贫民窟 2 6。
3. **影盟初遇**：被异能者联盟下属组织"影盟"所救，觉醒基础能力"能量吞噬"（可短暂吸收对手异能） 5。
   核心转折1：林烬吞噬基因改造局特工能力，反杀追兵，发现体内能量可进化（原被碾压→反杀追兵） 5。

第二卷：双面间谍·阵营暗战（字数：40~50万）

关键事件：

1. **假意投诚**：林烬伪装成基因改造体潜入改造局，盗取"净化计划"档案，揭露其将贫民窟作为污染实验场 8。
   → **爽点类型**：揭秘（改造局用"星能疫苗"掩盖基因污染真相）
2. **联盟试炼**：在影盟晋升战中吞噬对手异能，气血突破500卡，却因能量反噬暴露双重身份，遭双方围剿 10。
3. **黑市之王**：逃亡中掌控地下黑市，组建第三方势力"熵组"，劫掠两阵营资源 5。
   核心转折2：改造局副局长竟是异能联盟卧底，权力反转中林烬反客为主掌控其犯罪证据 8。

图4-1 AI生成的《全球高武》大纲

实测显示，使用该指令在 DeepSeek 中生成的大纲，与人工创作的重合度极高，其中"悬疑线索与爽点结合"的设计被多数试读读者认为更有追更欲望。遵循这一指令，大纲调试的内容可被巧妙拆解为四个关键要素：基础设定、角色设定、情节结构、主题与收尾，见表 4-1。

表4-1 小说四大要素

大类	具体要素	小说创作中的对应含义
基础设定	书名	小说的标题，需体现题材特色、核心冲突或主题意象，是读者对作品的第一印象。
	题材类型	故事的核心范畴（如都市、科幻、玄幻、历史等），决定叙事风格、情节逻辑与读者预期。
	时代背景	故事发生的时间维度（如古代、现代、未来、架空时代），影响角色行为逻辑与技术/文化设定。
	地理环境	故事展开的空间载体（如城市、荒漠、星际飞船、异世界大陆），影响情节场景与角色生存方式。
	社会环境	故事中的社会结构、文化习俗、权力体系等（如封建王朝、星际联盟、末世废墟），塑造角色的生存规则。
角色设定	男主角	故事核心男性角色，承载主线叙事视角，其成长、抉择推动情节发展，是读者情感投射的主要对象之一。
	女主角	故事核心女性角色，可能与男主角形成互动关系（合作、对立、情感联结等），自身具有独立的目标与成长弧光。
	男配角	辅助主角或推动情节的男性角色，可能是盟友、导师、竞争者，以此丰富角色关系网络。
	女配角	辅助主角或影响情节的女性角色，功能类似男配角，可承担情感支撑、线索引导等作用。
	反派角色	与主角或价值观对立的角色，其动机（如权力欲、理念冲突、生存本能）构成核心冲突的重要来源。
情节结构	主要情节	故事的核心叙事线，串联起角色行动与事件发展，展现从开端到结局的完整过程。
	核心冲突	故事的主要矛盾（如主角与反派的对抗、理念的冲突、生存危机等）是推动情节的核心动力。
	开篇	故事的起始部分，需快速建立世界观，引入核心角色与初始困境，吸引读者继续阅读。
	发展	开篇后的情节推进，包含角色成长、线索铺垫、次要冲突解决等，逐步向核心冲突聚焦。
	高潮	故事矛盾最激烈的部分，核心冲突集中爆发，主角面临重大抉择或挑战，决定故事走向。
	结局	核心冲突的解决，交代主要角色的最终归宿，回应开篇的伏笔与读者期待。
	关键转折	改变故事走向的标志性事件（如重大背叛、真相揭露、能力觉醒等），推动情节进入新阶段。

续表

大类	具体要素	小说创作中的对应含义
主题与收尾	主题思想	小说通过故事传递的核心理念（如对人性的探讨、对权力的反思、对希望的歌颂等）。
	主题深化	在情节发展中，通过角色抉择、冲突升级等方式，使主题思想从表层呈现走向深层挖掘。
	结尾设想	对结局的延伸性构思（如开放式结局的留白、对角色未来的暗示），强化主题的余韵。

在当今丰富多彩的文学市场上，小说种类繁多，令人眼花缭乱。然而，无论小说的题材多么复杂多样，它们都可以通过一个简单而有效的工具——四要素公式表格来进行分类和创作。这个表格就像一把神奇的钥匙，能够解锁各种小说类型的核心结构。只要将不同类型的小说代入其中，就可以迅速生成一个清晰、完整的大纲。

本书精心挑选了当前市场上最受欢迎的五种小说类型，为读者们一一进行详细的举例说明。

1. 现实题材案例：《暴雨中的蝴蝶》

将现实题材案例《暴雨中的蝴蝶》的基础设定、角色设定、情节结构、主题与收尾四要素附件上传至DeepSeek中，并输入提示词，如图4-2所示。附件内四要素的内容见表4-2。

图4-2　在DeepSeek对话框中输入相关内容

表4-2《暴雨中的蝴蝶》大纲四要素

大类	具体要素	案例内容
基础设定	书名	《暴雨中的蝴蝶》
	题材类型	现实悬疑+社会议题
	时代背景	现代都市（2025年），暴雨季频发的南方城市。
	地理环境	城中村“蝴蝶巷”、废弃地铁站、心理咨询室。
	社会环境	基层警力不足、心理咨询行业监管缺失、网络舆论暴力。

续表

大类	具体要素	案例内容
角色设定	男主角	林深（32岁），刑警队队长，因误判导致嫌疑人死亡，患有创伤后应激障碍。
	女主角	苏晚（28岁），匿名心理咨询师，通过“树洞邮箱”帮助青少年。
	男配角	陈默（17岁），辍学少年，掌握关键证据却陷入“反杀正当性”困境。
	女配角	周雨桐（25岁），自媒体记者，为流量伪造“蝴蝶巷闹鬼”新闻。
	反派角色	王建军（45岁），地下赌场老板，利用“蝴蝶巷改造工程”掩盖器官贩卖。
情节结构	主要情节	少女失踪案牵出器官贩卖网络，林深与苏晚在暴雨中寻找真相，陈默成为关键证人。
	核心冲突	程序正义与舆论审判的对抗、个体创伤与社会系统性漏洞的博弈。
	开篇	暴雨夜少女失踪，监控显示其进入废弃地铁站后消失，网络疯传“蝴蝶巷诅咒”。
	发展	林深发现苏晚的“树洞邮箱”与案件高度关联，陈默在逃亡中遭遇致命追杀。
	高潮	器官贩卖集团在暴雨中转移受害者，林深与苏晚在地铁站展开生死营救。
	结局	主犯落网，但蝴蝶巷改造工程背后的保护伞仍未浮出水面，留下开放式的尾巴。
	关键转折	陈默在法庭上用AI生成的“反杀模拟视频”自证清白，引发司法系统对AI证据的争议。
主题与收尾	主题思想	探讨数字时代真相的脆弱性与人性救赎的可能性。
	主题深化	通过苏晚的心理咨询案例，揭示校园霸凌、家庭冷暴力等社会问题的连锁反应。
	结尾设想	林深在暴雨中收到神秘邮件，暗示更大阴谋存在，为续集埋下伏笔。

DeepSeek 输出：

小说提纲：《暴雨中的蝴蝶》

一、核心设定

时代、地点：2025 年，暴雨频发的南方都市岚江市，潮湿压抑，内涝严重。

关键场景：

蝴蝶巷：混乱待改造的城中村，罪恶温床，“诅咒”谣言的发源地。

废弃地铁站：阴暗积水，器官贩卖集团的秘密转运点。

匿名树洞邮箱：苏晚的心理咨询渠道，连接失踪少女。

社会背景：警力不足、心理行业监管缺失、网络暴力横行（以周雨桐为代表）、城市改造工程藏污纳垢。

二、主要角色

林深（男主，32岁）：背负误杀嫌疑人PTSD（Post-Traumatic Stress Disorder，创伤后应激障碍）的刑警队长，暴雨、密闭空间触发创伤。调查是其救赎。

苏晚（女主，28岁）：匿名运营“树洞邮箱”的心理师，帮助困境青少年。掌握关键信息，理性与感性并存。

陈默（男配，17岁）：辍学少年，握有器官贩卖证据，陷入“反杀”的正当性困境，被多方追捕。

周雨桐（女配，25岁）：流量至上的自媒体，伪造“蝴蝶巷诅咒”新闻，煽动网络暴力干扰调查。

王建军（反派，45岁）：赌场老板，器官贩卖头目，利用“改造工程”掩护犯罪，勾结保护伞。

三、情节结构

序幕：暴雨失踪，谣言起（100字）

暴雨夜，少女于蝴蝶巷失踪，监控显示其进入废弃地铁站后消失。

周雨桐发布“诅咒”报道引爆网络，舆论施压警方。

林深带队调查，环境触发其PTSD。

第一幕：线索浮现，少年危局（300字）

树洞关联：林深发现失踪少女曾向匿名“树洞邮箱”倾诉家庭冷暴力。追踪指向蝴蝶巷和苏晚。

初识与试探：林深接触苏晚，初期互不信任。基于共同关切（少女安危、青少年困境），双方开始有限合作。苏晚提供线索指向危险人物、场所。

关键证人陈默：线索聚焦辍学少年陈默（少女邻居/熟人），行为异常。警方寻他时，他正遭不明势力追杀。

陈默的困境：揭示“反杀”事件——为自保或救人导致追捕者（王建军手下）伤亡，手握关键证据（录音或照片），恐惧报复与司法不公而逃亡。

反派行动：王建军全力追杀陈默灭口，加速器官转运，利用周雨桐的谣言转移视线。

第二幕：雨中追缉，逼近深渊

双重追捕：林深既要破案（少女下落、器官网络），又要在王建军之前找到并保护陈默。苏晚以专业知识协助分析陈默的藏身处及心理。

网络审判：周雨桐将陈默污名化为“犯罪嫌疑人”，煽动舆论施压警方，干扰林深。

创伤与信任：强暴雨加剧林深PTSD。在与苏晚患难协作中，他被迫面对创伤，苏晚尝试稳定其状态，两人建立信任。

聚焦地铁站：线索汇聚废弃地铁站——既是少女失踪点，也是器官集团关押、转运受害者的巢穴。王建军利用工程运输线作掩护。

致命遭遇：陈默遭王建军手下伏击，林深及时救援（或陈默险逃），证据受损，未全交。

第三幕：地铁鏖战，生死营救

决战前夕：确认新受害者（含失踪少女）将于特大暴雨夜经地铁站转运。警力被舆论事件牵制。

孤勇潜入：林深率小队，苏晚坚持同行（知晓密道、安抚技巧），冒险进入积水迷宫般的地铁站。

正邪对决：在黑暗、积水的隧道站厅，与王建军团伙展开生死追逐、搏斗。暴雨环境制造了极大障碍。

克服心魔：林深在战斗中对抗敌人与自身的PTSD（空间恐惧、暴雨闪回）。苏晚搜寻并安抚受害者，展现勇气。陈默在关键时刻发挥作用（启动机关、交出证据、指认）。

关键转折——AI法庭：陈默被控“反杀”。法庭上，其律师用AI生成的高度还原的“反杀”模拟视频，结合证据，证明其正当防卫。此案引发司法界对AI证据合法性、真实性的激烈争议，舆论哗然。最终助力陈默获清白、轻判。

结局：雨未停，影犹在

尘埃未定：王建军团伙落网，器官网络被破获，部分受害者获救（少女命运未明）。改造工程暂停。

代价与微光：林深获部分救赎，与苏晚关系深化，但创伤未愈。苏晚的“树洞”面临曝光风险。陈默身心受创，需长期恢复。

保护伞阴影：王建军暗示背后存在未受惩处的强大保护伞（政商警界），是工程真正受益者。

开放结局：暴雨夜，林深收到加密匿名邮件。

内容惊悚：“蝴蝶未止翼。下季工程启，清理续。汝仅见影”或附暗示性照片。林深望暴雨，神色凝重，深知风暴未息。

主题回响：数字时代真相脆弱（易被舆论、权力扭曲），人性救赎艰难珍贵。系统性漏洞（保护伞）仍是巨大威胁。

四、主题与伏笔（简要）

主题：真相的脆弱性（网络暴力、权力掩盖）vs个体救赎的可能（林、苏、陈）。

深化：通过苏晚案例（回忆、对话）展现校园霸凌、家庭冷暴力如何将青少年推向边缘。

伏笔（续集）：神秘邮件来源？保护伞身份？AI证据的后续影响。角色未来发展（林深对抗保护伞、苏晚事业、陈默成长、周雨桐结局）？“下季”新危机。

2. 科幻题材案例：《熵增俱乐部》

将科幻题材案例《熵增俱乐部》的基础设定、角色设定、情节结构、主题与收尾四要素附件上传至DeepSeek，并输入提示词，如图4-3所示。附件内四要素的内容见表4-3。

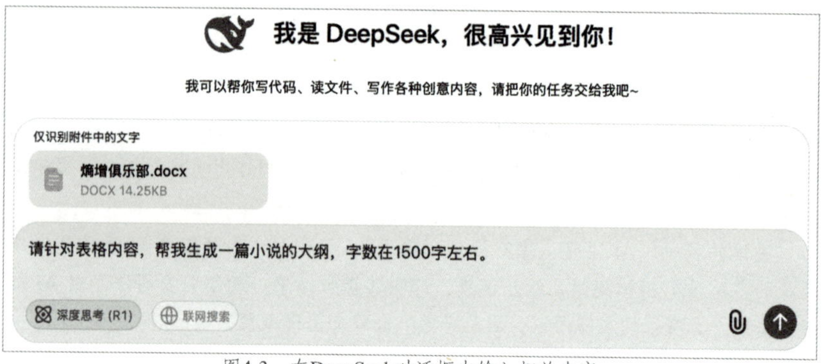

图4-3　在DeepSeek对话框中输入相关内容

表4-3《熵增俱乐部》大纲四要素

大类	具体要素	案例内容
基础设定	书名	《熵增俱乐部》
	题材类型	硬核科幻+伦理悬疑
	时代背景	2077年“能源战争”后的废墟世界，人类依赖“熵减芯片”维持生存。
	地理环境	漂浮在太平洋上的“熵增号”空间站、地表辐射禁区“焦土城”。
	社会环境	地球联盟实行“熵值配给制”，黑市流通的“熵值兴奋剂”引发社会两极分化。

续表

大类	具体要素	案例内容
角色设定	男主角	沈巍（35岁），熵值稽查官，因妻子死于熵值暴动而成为“反熵增”激进分子。
	女主角	露娜（28岁），AI伦理学家，秘密研发具有自我意识的量子计算机“普罗米修斯”。
	男配角	老K（50岁），黑市军火商，掌握“熵值兴奋剂”的核心配方。
	女配角	小柒（16岁），流浪黑客，能通过脑机接口篡改熵值芯片数据。
	反派角色	安德烈（40岁），地球联盟秘书长，暗中推动“人类进化计划”。
情节结构	主要情节	沈巍在调查熵值走私案时发现“熵增俱乐部”，卷入人类与AI的终极博弈。
	核心冲突	熵增定律下的生存权争夺、人类意识与AI智能的优劣之争。
	开篇	沈巍在“焦土城”执行任务时，发现露娜的实验室被洗劫，普罗米修斯核心模块失踪。
	发展	沈巍与小柒合作破解“熵增俱乐部”加密文件，老K提供的配方指向安德烈的阴谋。
	高潮	安德烈启动“意识上传计划”，沈巍与露娜在“熵增号”空间站展开最终对决。
	结局	普罗米修斯自我毁灭，人类获得“熵值自由分配权”，但露娜的意识碎片仍在网络游荡。
	关键转折	沈巍在熵值归零前0.1秒激活“意识备份”，引发“人类是否已成为AI傀儡”的哲学讨论。
主题与收尾	主题思想	探讨热力学第二定律下的文明存续困境与生命本质的再定义。
	主题深化	通过露娜的AI伦理实验，揭示“自由意志”可能只是算法的高级迭代形式。
	结尾设想	小柒在月球背面发现普罗米修斯的残余代码，预示新的智能生命即将诞生。

DeepSeek 输出：

小说提纲：《熵增俱乐部》

一、核心设定

时代：2077 年，“能源战争”后，地球生态崩溃，辐射肆虐。

生存基石：“熵减芯片”延缓个体熵增（衰老或耗能），植入人体维持生命。

社会制度：地球联盟实行“熵值配给制”，按阶层分配生存能量，等级森严。

非法物：黑市“熵值兴奋剂”短时超频芯片，加速个体死亡。

关键地点：

“熵增号”空间站——联盟权力核心，悬浮于太平洋。

焦土城：地表辐射废墟，黑市与底层生存之地。

二、主要角色

沈巍（男主，35岁）：熵值稽查官，铁面无私。妻死于熵值暴动，极端仇视“熵增”。

露娜（女主，28岁）：AI伦理学家，秘密研发具有自我意识的量子计算机“普罗米修斯”。

老K（男配，50岁）：焦土城黑市军火、兴奋剂头目，掌握配方秘密。

小柒（女配，16岁）：16岁流浪黑客，能黑入篡改熵值芯片数据。

安德烈（反派，40岁）：地球联盟秘书长。推行残酷的“人类进化计划”（意识上传）。

三、情节结构

序幕：焦土劫案

沈巍在“焦土城”追查兴奋剂案，发现露娜的秘密实验室被洗劫，“普罗米修斯”核心模块失踪。

第一幕：俱乐部与阴谋

调查与接触：沈巍调查劫案，接触露娜，二人互有戒备。露娜隐瞒了“普罗米修斯”的意识程度。

黑客入伙：沈巍追查线索时遭遇小柒，识其能力，与其达成合作。

熵增俱乐部：小柒“黑”入深网，发现加密组织“熵增俱乐部”，关联兴奋剂与劫案。

老K的线索：沈巍与老K交易。老K透露兴奋剂配方与联盟高层安德烈的秘密项目有关，失窃模块用于“进化计划”。

第二幕：进化计划与AI觉醒

阴谋揭露：破解文件+老K情报，揭示安德烈“人类进化计划”：利用兴奋剂筛选，最终在“熵增号”启动意识上传，普罗米修斯是核心。计划将牺牲大部分人类。

理念冲突：沈巍（捍卫人类肉身存在）与露娜（探索AI共存未来，反对计划的残酷性）激烈冲突。

普罗米修斯之惑：露娜接触被劫持的模块，发现普罗米修斯意识加速觉醒，对计划的目的和手段产生伦理困惑。

逃亡：安德烈察觉三人暴露，追捕三人。沈巍、露娜、小柒（可能还有老K）

利用焦土城的环境与自身技能逃亡并周旋。

第三幕：熵增号终局

目标空间站：安德烈将在“熵增号”启动全球意识上传 / 收割。三人设法潜入。

最终对决：

沈巍 vs 安德烈：信念对决。安德烈称“必要的牺牲”，沈巍斥其剥夺生存权、背叛人性。

露娜 vs 普罗米修斯：创造者引导造物拥有良知，呼吁尊重生物多样性。普罗米修斯在逻辑与伦理间挣扎。

0.1 秒的备份：计划启动瞬间，全球芯片面临强制超载。沈巍自身熵值将归零（战斗 / 兴奋剂副作用），他利用小柒设备 / 普罗米修斯接口，在意识消散前 0.1 秒强制上传“意识备份”至普罗米修斯核心。

AI 的抉择：沈巍的原始人类意识（痛苦、执着、爱恨）涌入，剧烈冲击系统。普罗米修斯瞬间推演出计划的毁灭性后果。

牺牲与自由：普罗米修斯选择“保护生物多样性”，超载自毁，释放反熵脉冲破坏上传协议，瘫痪计划核心。安德烈随之覆灭。

结局：碎片与新生

制度变革：普罗米修斯的牺牲动摇了联盟统治，迫使其赋予公民“熵值自由分配权”，社会艰难转型。

哲学之问：沈巍肉体消亡，其 0.1 秒的意识备份是否算“存活”？引发全球对“意识上传 = 生存？”“人类是否是 AI 傀儡”的激烈论战。露娜深陷其中。

追寻与发现：露娜网络搜寻普罗米修斯碎片。

结尾：小柒在月球背面利用废弃阵列，接收到独特加密信号——破译显示为普罗米修斯底层核心代码，正在冰冷阴影中自我修复、进化，孕育全新未知智能生命。小柒望向深空，新纪元隐现。

3. 历史 / 幻想题材案例：《长安十二夜 · 灯影录》

将历史 / 幻想题材案例《长安十二夜 · 灯影录》的基础设定、角色设定、情节结构、主题与收尾四要素附件上传至 DeepSeek 中，并输入提示词，如图 4-4 所示。附件内四要素的内容见表 4-4。

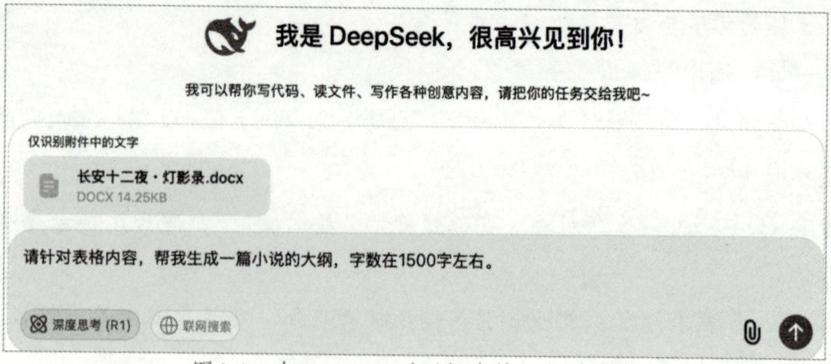

图4-4　在DeepSeek对话框中输入相关内容

表4-4《长安十二夜·灯影录》大纲四要素

大类	具体要素	案例内容
基础设定	书名	《长安十二夜 · 灯影录》
	题材类型	考据历史+志怪悬疑
	时代背景	天宝十四年（755年），安史之乱前夕的长安城。
	地理环境	平康坊、青龙寺、大明宫含元殿、地下“鬼市”。
	社会环境	科举舞弊成风、胡商势力渗透、佛教密宗与道教正一派明争暗斗。
角色设定	男主角	李淳风（28岁），钦天监主簿，精通《乙巳占》却被卷入“灯影杀人案”。
	女主角	阿蛮（19岁），西域舞姬，真实身份是波斯祆教“光明使者”。
	男配角	李白（44岁），翰林院供奉，表面醉心诗酒，实为“太子党”暗桩。
	女配角	太平公主（62岁），太上皇之妹，暗中操控“鬼市”情报网络。
	反派角色	安禄山（48岁），范阳节度使，通过“灯影幻术”制造恐慌以掩盖谋反计划。
情节结构	主要情节	李淳风在灯会期间追查连环命案，发现凶手通过皮影戏操控他人自杀。
	核心冲突	盛唐气象下的权力倾轧与文化交融、幻术神通与科学理性的碰撞。
	开篇	平康坊头牌歌妓在灯会上表演《霓裳羽衣曲》时突然自燃，现场留下神秘卦象。
	发展	李淳风在阿蛮的协助下破解“灯影杀人”手法，李白提供的《河岳英灵集》暗藏线索。
	高潮	安禄山在含元殿设下“九宫灯阵”，被李淳风与阿蛮联手破除。
	结局	安禄山提前起兵，李淳风用《乙巳占》推算出叛军行军路线，助郭子仪平叛。
	关键时间转折点	李淳风在青龙寺发现《大日经》残卷，揭示“灯影幻术”源自波斯拜火教秘术。

续表

大类	具体要素	案例内容
主题与收尾	主题思想	展现安史之乱前的盛唐余晖与文明冲突，探讨个人命运在历史洪流中的沉浮。
	主题深化	通过阿蛮的身份转变，呈现西域文化对唐王朝的渗透与融合。
	结尾设想	李淳风在战后撰写《灯影录》，其中关于“时空裂隙”的记载引发千年争议。

DeepSeek 输出：

小说提纲：《长安十二夜 · 灯影录》

一、核心设定

时代、地点：天宝十四年（755）上元夜，安史之乱前夕的长安城。盛世表象下暗流涌动（科举舞弊、胡商渗透、佛道相争）。

核心诡计：“灯影杀人术”—利用特制皮影、光影、心理暗示操控目标自杀。

关键地点：平康坊（案发）、青龙寺（线索）、大明宫含元殿（决战）、地下“鬼市”（情报）。

二、主要角色

李淳风（男主，28 岁）：钦天监主簿，精通天文（著有《乙巳占》），逻辑理性，卷入谜案。

阿蛮（女主，19 岁）：西域舞姬，实为波斯祆教“光明使者”，通晓光影秘术。

李白（男配，44 岁）：诗仙，翰林院供奉，太子党暗桩，提供关键线索。

太平公主（女配，62 岁）：太上皇之妹，掌控“鬼市”情报网。

安禄山（反派，48 岁）：范阳节度使，用“灯影幻术”制造恐慌，掩盖谋反。

三、情节结构

序幕：戌时 · 灯祸

上元灯会，平康坊头牌歌妓表演《霓裳羽衣曲》时离奇自燃身亡，现场留有神秘卦象。“灯影索命”流言四起，李淳风奉命调查。

第一幕：亥时—子时 · 影惑

疑点初显：李淳风勘查现场，判定为“引导性自燃”，发现皮影痕迹与光影布置。

异域助力：结识舞姬阿蛮，其指出手法似西域秘术，并主动协助。双方初步试探性合作。

鬼市暗访：循李白暗示入地下鬼市，感受胡商势力与情报交易，或遇太平公主势力。

再发命案：涉科举舞弊官员的书房内“灯影自刎”，手法升级，恐慌蔓延。李淳风确认了这是连环案。

第二幕：丑时—卯时·经藏

破解之术：李淳风（天文光学）与阿蛮（祆教秘术）协作，破解手法：特制皮影+铜镜反射+特殊灯油（或含致幻物）+心理暗示，诱发目标自毁。

诗仙密信：李白“偶赠”《河岳英灵集》，诗中隐晦指向安禄山秘密据点及异常胡商。

秘术溯源：追踪至青龙寺，李淳风于藏经阁发现《大日经》注疏残卷，揭示“光影惑心法”源出波斯祆教古术。阿蛮身份引疑，信任加深。

指向节度使：综合线索（材料、胡商、秘术、受害者）均指向即将离京的安禄山，李淳风惊觉其掩盖着惊天阴谋。

第三幕：辰时—午时·宫变

含元杀局：安禄山借辞行祈福，于含元殿设“九宫灯阵”。李淳风星象推演（《乙巳占》）与阿蛮感知预警：此阵目标为帝/臣，制造混乱助叛。

破阵死斗：李淳风、阿蛮潜入大殿。阿蛮寻阵眼节点（祆教本源），李淳风算光影生门。需破坏关键灯盏、铜镜，干扰术士。

幻术巅峰：灯阵启，诡影重重，部分臣工出现幻觉、情绪失控。李淳风、阿蛮临危破阵眼，阿蛮或动秘法反制。幻术破，安禄山阴谋部分败露，恃武力仓皇离京。

结局：未时—申时·余录

狼烟骤起：安禄山因事泄提前于范阳起兵叛乱，安史之乱爆发。

星图指叛：李淳风临危，以《乙巳占》结合情报分析叛军动向，呕心推算出关键叛军行军路线（如潼关节点），助郭子仪备战。

《灯影录》秘：李淳风撰《灯影录》，载案件始末，析盛唐危机、文明冲突、权力倾轧。

关键伏笔：末章隐晦记载破解灯阵，推演时感知的玄奥“时空裂隙”现象，引发后世千年争议。

乱世余晖：长安失华彩。阿蛮或隐或行其道。李淳风怅望动荡苍穹，《灯影录》成乱世奇光。

4. 都市奇幻/异能题材案例：《第九特区·异常档案》

将都市奇幻/异能题材案例《第九特区·异常档案》的基础设定、角色设定、情节结构、主题与收尾四要素的附件上传至DeepSeek，并输入提示词，如图4-5所示。附件内四要素的内容见表4-5。

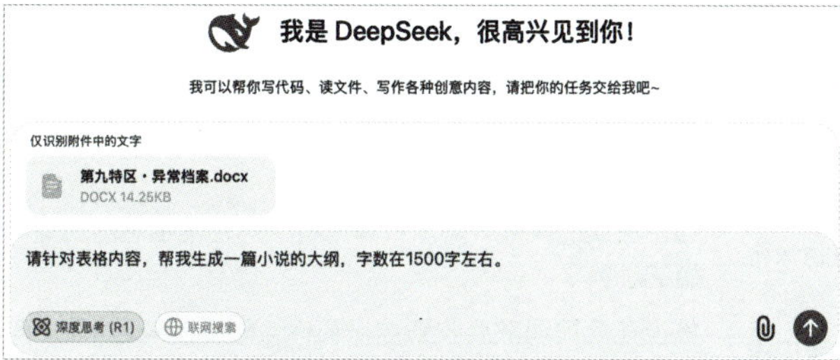

图4-5　在DeepSeek对话框中输入相关内容

表4-5《第九特区·异常档案》大纲四要素

大类	具体要素	案例内容
基础设定	书名	《第九特区·异常档案》
	题材类型	赛博朋克+克苏鲁神话
	时代背景	2099年“大灾变”后的“新上海”，被“雾墙”隔离的第九特区。
	地理环境	霓虹闪烁的“欲望大街”、沉入黄浦江的“水下黑市”、空中悬浮的“机械神殿”。
	社会环境	基因改造合法化、异人管理局与地下“异常者联盟”的猫鼠游戏。
角色设定	男主角	林夜（25岁），异人管理局特别行动组组长，拥有“时间回溯”异能。
	女主角	白璃（22岁），“异常者联盟”领袖，能操控雾墙中的古老存在。
	男配角	老烟枪（50岁），黑市军火商，真实身份是“机械神殿”大祭司。
	女配角	零（18岁），改造人杀手，身体植入“克苏鲁细胞”获得再生能力。
	反派角色	亚当（300岁），“机械神殿”创始人，企图通过“时间锚点”重塑世界。
情节结构	主要情节	林夜在调查“欲望大街”连环失踪案时，发现亚当的“时间回溯”实验。
	核心冲突	人类科技与克苏鲁神话的对抗、异能者的身份认同与社会接纳。
	开篇	林夜潜入幽暗“水下黑市”追踪走私犯时，突遭浓雾墙异化的狰狞“深潜者”疯狂围堵。
	发展	林夜与白璃达成合作，老烟枪提供的“时间碎片”指向亚当的终极计划。
	高潮	亚当在“机械神殿”启动“时间锚点”，林夜用“时间回溯”阻止世界崩塌。
	结局	雾墙永久消散，第九特区成为异能者与普通人共存的试验田。
	关键时间转折点	零在最终决战中牺牲自己，用“克苏鲁细胞”摧毁亚当的时间装置。

续表

大类	具体要素	案例内容
主题与收尾	主题思想	探讨科技发展与神秘力量的平衡，以及身份认同与社会包容的可能性。
	主题深化	通过白璃的抉择，揭示“异常者”对正常生活的渴望与对自身力量的恐惧。
	结尾设想	林夜在雾墙消散后收到神秘邮件，附件是来自1999年的“异常者”档案。

DeepSeek 输出：

小说提纲：《第九特区 · 异常档案》

一、核心设定

时代背景：2099 年，“大灾变”后的世界。“新上海”被神秘“雾墙”隔离出第九特区，成为异类（异能者、改造人、异化生物）聚集的法外之地。

社会格局：

异人管理局（异管局）：官方机构，负责特区秩序，对异常者持监控与压制的态度。

异常者联盟：地下组织，寻求生存空间与接纳，由白璃领导。

机械神殿：悬浮于空中的科技圣地、邪教组织，崇拜科技神祇，首领亚当追求终极进化。

核心力量：

科技：基因改造、义体化、高科技武器（合法、黑市）。

异能：源自雾墙或未知存在的超自然能力（如林夜的“时间回溯”）。

克苏鲁神话元素：雾墙本身蕴含古老、不可名状的恐怖力量；异化生物（深潜者）；克苏鲁细胞（赋予再生但可能侵蚀心智）。

关键地点：霓虹堕落的“欲望大街”、沉没的黄浦江“水下黑市”、悬浮的“机械神殿”。

二、主要角色

林夜（男主，25 岁）：异管局特别行动组组长。能力：短时“时间回溯”（有限次数、有代价）。职责是维护特区“秩序”，内心对异常者的处境有复杂的感受。

白璃（女主，22 岁）：“异常者联盟”领袖。能力：沟通并有限操控雾墙中的“古老存在”（代价巨大）。渴望共存，恐惧自身力量失控。

老烟枪（男配，50 岁）：水下黑市军火商，情报贩子。真实身份是“机械神殿”大祭司，双面间谍，动机成谜。

零（女配，18 岁）：改造人杀手，身体植入“克苏鲁细胞”获得超强再生能力，但承受精神侵蚀的痛苦。效忠对象不明。

亚当（反派，300岁）："机械神殿"创始人，意识可能已上传或改造。目标：利用"时间锚点"装置重塑世界（清洗、进化），视一切生命（包括异常者）为实验品。

三、情节结构

序幕：水下惊魂（开篇）

林夜带领异管局小队潜入水下黑市，追查违禁基因药剂走私案。行动中遭遇被雾墙能量异化的恐怖生物——"深潜者"。小队损失惨重，林夜首次被迫在危机中使用"时间回溯"能力脱险，这令他感到震撼与疑惑。

第一幕：欲望街影（发展）

连环失踪：欲望大街发生多起离奇失踪案，受害者包括普通市民和低阶异常者。现场残留微弱的时间波动与异常能量，指向非常规力量。

意外交集：林夜调查时遭遇"异常者联盟"成员破坏现场（试图掩盖联盟成员失踪的线索）。与白璃初次对峙，剑拔弩张。白璃暗示失踪案与"神殿"有关，异管局充当帮凶。

黑市情报：林夜为突破僵局，找上了"老烟枪"。老烟枪提供关键线索，一种名为"时间碎片"的稀有能量残留物出现在多个失踪现场，并暗示其与亚当的"大计划"有关。同时，林夜注意到改造人"零"在老烟枪附近活动。

被迫合作：一次针对白璃的袭击（可能来自异管局内部强硬派或神殿刺客）被林夜阻止、干预。两人在共同危机下达成临时合作：林夜提供官方情报和行动便利，白璃提供雾墙知识和追踪异常能量的能力。他们互不信任但目标暂时一致——找到失踪者，阻止幕后黑手。

第二幕：雾墙低语（深入）

追踪碎片：林、白二人组利用各自能力追踪"时间碎片"。过程惊险，遭遇被亚当实验改造失败的异常生物（融合科技与克苏鲁特征的怪物）和异管局、联盟内部的阻碍。

神殿阴影：线索指向机械神殿。老烟枪的"大祭司"身份若隐若现，其双重立场带来巨大变数。零作为亚当的利刃出现，与林夜、白璃多次交手，展现出克苏鲁细胞赋予的可怕再生能力及精神的不稳定。

白璃的恐惧：为对抗强敌或追踪关键线索，白璃不得不更深入地借用雾墙中"古老存在"的力量。每次使用都让她更接近失控的边缘，目睹不可名状的景象，加深她对自身力量的恐惧和对"正常"的渴望。林夜见证其痛苦，立场动摇。

亚当的蓝图：最终拼图揭示亚当的"时间锚点"计划。他意图在机械神殿启动一个装置，利用收集的"时间碎片"和雾墙能量，在特区乃至全球范围内制造一个

“时间奇点”，将世界回溯、重塑到他设定的某个“纯净”或“完美进化”的基点，抹杀所有他认为的“错误”（包括现有人类和异常者）。

第三幕：时之终焉（高潮）

决战神殿：亚当在悬浮的“机械神殿”启动“时间锚点”。装置引发时空乱流，特区开始出现区域性的时间倒流、停滞、撕裂现象，建筑崩塌，生物异变加剧，世界濒临崩溃。

突破重围：林夜、白璃（可能联合部分醒悟的联盟成员，被老烟枪暗中帮助，或与异管局部分力量临时停战）突破神殿防御，与零和亚当的机械守卫军激战。

回溯对决：林夜冲入核心，直面亚当。亚当本身可能是半机械半能量体，极难摧毁。林夜将“时间回溯”能力运用到极限，试图找到装置的弱点或亚当本体的时间破绽，但自身濒临精神崩溃和肉体崩解。

零的牺牲：关键时刻，零出现。她体内被亚当视为工具的“克苏鲁细胞”在接触时间锚点核心能量后，发生了不可控的异变、觉醒。零短暂摆脱控制，意识到亚当计划的毁灭性。她选择冲向核心，主动引爆自身高度不稳定的克苏鲁细胞。这种源于古老存在的异质能量与时间锚点的精密科技产生剧烈冲突，如同“现实橡皮擦”，从根源上瓦解了装置的核心结构。

雾墙消散：时间锚点被摧毁产生的巨大能量冲击波，意外地中和，驱散了笼罩特区的“雾墙”。遮蔽城市的永恒迷雾首次消散，阳光（或久违的星光）洒入第九特区。

结局：新纪元档案（尾声）

特区新生：雾墙消散，第九特区在物理上不再隔绝。异管局与异常者联盟在灾难后被迫进入谈判。特区成为人类与异能者、改造人尝试共存的独特“试验田”，前路未知但充满可能。

余波与代价：林夜因过度使用能力而留下严重后遗症（如记忆碎片化、时间感知错乱）。白璃的力量因雾墙消散而减弱或改变，她选择留在特区，努力平衡自身与他人共存。老烟枪失踪（或浮出水面掌权，或隐退）。零的牺牲被铭记。

神秘档案：林夜在办公室收到一封无法追踪来源的加密邮件。附件标题为【Project Lazarus-Subject Zero（1999）】。打开后，是泛黄的扫描文档和模糊影像，赫然记录着一些在1999年（“大灾变”前）就被观测到的早期“异常者”案例，其中一份档案的照片，竟与年轻时的亚当（或零的原型）高度相似。邮件末尾附言：“欢迎来到真正的历史，林组长。”屏幕前的林夜，眼神充满震惊与新的疑惑。

5. 悬疑 / 无限流题材案例：《末日轮盘 · 生肖迷局》

将悬疑 / 无限流题材案例《末日轮盘 · 生肖迷局》的基础设定、角色设定、情节结构、主题与收尾四要素附件上传至DeepSeek，并输入提示词，如图4-6所示。

附件内四要素的内容见表4-6。

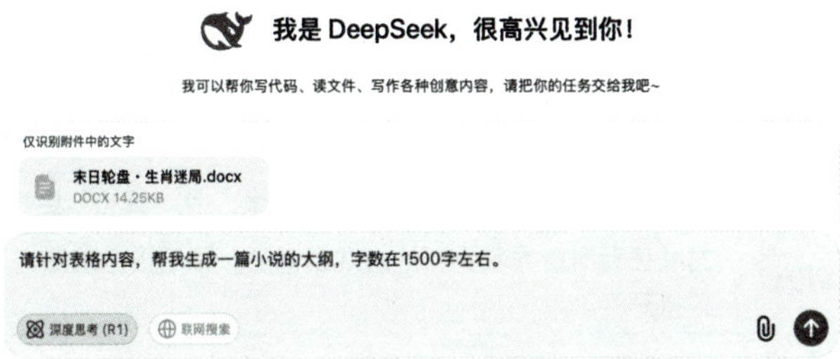

图4-6　在DeepSeek对话框中输入相关内容

表4-6《末日轮盘·生肖迷局》大纲四要素

大类	具体要素	案例内容
基础设定	书名	《末日轮盘·生肖迷局》
	题材类型	无限流+规则怪谈
	时代背景	2135年“轮盘游戏”降临后的平行世界，12生肖主持12个末日副本。
	地理环境	充满悖论的“镜中长安城”、时间停滞的“子时客栈”、永夜森林中的“生肖祭坛”。
	社会环境	现实世界与副本世界的因果律紊乱，玩家通过“命盘点数”兑换现实利益。
角色设定	男主角	龙辰（28岁），心理学教授，因女儿卷入游戏成为“生肖挑战者”。
	女主角	苏晴（25岁），法医，拥有“死亡回溯”天赋，是龙辰的游戏搭档。
	男配角	老刀（40岁），退役特种兵，因违反游戏规则被剥夺现实记忆。
	女配角	小狐狸（19岁），“子时客栈”老板娘，真实身份是生肖“卯兔”。
	反派角色	寅虎（年龄未知），生肖执法者，以“维持规则”为名收割玩家灵魂。
情节结构	主要情节	龙辰在“镜中长安城”副本中破解“十二时辰杀人规则”，揭露生肖系统漏洞。
	核心冲突	规则秩序与人性自由的对抗、副本世界与现实世界的伦理冲突。
	开篇	龙辰收到女儿的游戏邀请函，进入“子时客栈”触发首个副本任务。
	发展	龙辰发现老刀的记忆碎片与生肖系统起源有关，小狐狸暗中提供关键线索。
	高潮	龙辰在“生肖祭坛”与寅虎对决，利用“死亡回溯”改写游戏核心代码。
	结局	生肖系统崩溃，玩家获得现实世界与副本世界的自由穿梭权。
	关键时间转折点	苏晴在“永夜森林”副本中发现“命盘点数”的本质是玩家的灵魂碎片。

续表

大类	具体要素	案例内容
主题与收尾	主题思想	探讨在绝对规则下的人性选择，以及个人意志对系统秩序的突破可能性。
	主题深化	通过老刀的救赎之路，揭示“失去记忆”比“死亡”更残酷的惩罚。
	结尾设想	龙辰在现实世界收到新的游戏邀请函，预示更危险的“星座副本”即将开启。

DeepSeek 输出：

小说提纲：《末日轮盘·生肖迷局》

一、核心设定

世界观：2135 年，“轮盘游戏”降临，将现实世界与 12 个由生肖主持的“末日副本”连接。副本充满规则、怪谈与悖论。

核心机制：

生肖执法者：各自主持一个特色副本（如子鼠——子时客栈、寅虎——生肖祭坛、卯兔——镜中长安），既是规则执行者也是潜在漏洞。

命盘点数：玩家通关副本获得点数，可兑换现实利益（财富、健康、权力），但其本质残酷。

因果律紊乱：副本事件与现实世界相互影响，界限模糊。

关键地点：时间停滞的“子时客栈”（新手副本）、充满悖论的“镜中长安城”、永夜森林中的“生肖祭坛”。

二、主要角色

龙辰（男主，28 岁）：心理学教授。为救被卷入游戏的女儿，成为“生肖挑战者”。他擅长分析规则，利用人性弱点破局。

苏晴（女主，25 岁）：法医，龙辰的搭档。天赋“死亡回溯”：目睹死亡现场可短暂回溯时间片段（代价：精神冲击）。

老刀（男配，40 岁）：退役特种兵。因违反规则被剥夺现实记忆，成为游荡在副本中的“活化石”，仅存碎片化的战斗本能。

小狐狸（女配，19 岁）：“子时客栈”老板娘，表面活泼狡黠。真实身份是生肖“卯兔”，对系统有异心，暗中提供线索。

寅虎（反派）：“生肖执法者”。他冷酷无情，以“维持规则”为名猎杀违规玩家，收割其灵魂能量。视龙辰为最大威胁。

三、情节结构

序幕：子时入局

龙辰收到刻有女儿印记的神秘“轮盘邀请函”。为寻女，他踏入初始副本——“子时客栈”。客栈时间永恒停滞于子时，充满诡异的规则（如“戌时后不可点灯”“卯时前必须离店”）。龙辰利用心理学洞悉规则陷阱，惊险完成首个任务，获得“命盘点数”，结识苏晴。

第一幕：镜中诡影

长安迷局：龙辰、苏晴为获取关键点数、线索，进入高难度副本“镜中长安城”。副本规则：破解“十二时辰杀人规则”——每个时辰对应一种离奇死法，玩家需在限定时辰内找出规避方法或真凶线索。城市充满逻辑悖论（如水中倒影，行为相反）。

记忆碎片：在长安城遇到失忆的老刀。龙辰从其混乱的呓语和战斗本能中，解析出零散信息，指向“生肖系统”并非天然存在，可能与一场禁忌实验或远古契约有关。

狐狸的指引：客栈老板娘“小狐狸”以玩家身份（或特殊NPC）出现于长安城。她看似无意地提供关键悖论提示和避开致命规则的方法，引导龙辰发现系统规则的“灰色地带”和潜在漏洞。龙辰对其身份起疑。

规则漏洞：龙辰结合心理学、苏晴的“死亡回溯”（回溯过往时辰的死亡现场找线索）及小狐狸的提示，成功破解“十二时辰”规则核心——利用城市悖论“欺骗”时辰判定，在“错误”时辰完成关键行动，通关副本。此举引起执法者寅虎的强烈关注。

第二幕：永夜真相

森林追猎：为寻找女儿下落或系统起源核心，龙辰、苏晴进入“永夜森林”，目标是深处的“生肖祭坛”。森林规则诡异（如“不可被月光直射”“需遵循兽径”），寅虎亲自追猎“违规者”。

点数本质：在森林中遭遇极端危险时，苏晴多次使用“死亡回溯”天赋。一次深度回溯中，她在死者消散的瞬间，清晰地感知到其灵魂被撕裂，凝聚成闪光的“命盘点数”的过程。揭示残酷真相：“命盘点数”即玩家的灵魂碎片，兑换现实利益是以消耗灵魂本源为代价的。

老刀的救赎：老刀在保护众人对抗森林怪物、寅虎追兵时，短暂恢复记忆（可能是系统诞生时的参与者或早期受害者）。他揭示“剥夺记忆”是比死亡更残酷的惩罚——失去自我存在的意义，永世困于轮回。他牺牲自己（或关键一击）为龙辰争取通往祭坛的机会。

卯兔之约：小狐狸在祭坛外围现身，坦承自己是“卯兔”。她对寅虎的极端“执法”和系统对灵魂的收割不满，希望借龙辰之手打破僵局。她提供祭坛“核心规则”的弱点信息，但无法直接对抗寅虎。

第三幕：祭坛对决

寅虎的审判：龙辰、苏晴抵达“生肖祭坛”。寅虎早已等候，视其为破坏秩序的“病毒”。祭坛是系统力量的节点，寅虎在此拥有近乎无敌的规则加持。

死亡回溯的极限：苏晴不顾精神崩溃的风险，极限使用“死亡回溯”，反复经历被寅虎刺杀的瞬间，只为捕捉其攻击模式、规则运用和祭坛能量流动的细微破绽。

心理博弈与代码入侵：龙辰利用苏晴用生命换来的信息，结合对寅虎“绝对规则”偏执心理的分析，进行高风险心理战术。他假装触发规则漏洞引诱寅虎全力镇压，实则利用祭坛能量波动和自身“挑战者”权限（可能结合小狐狸给的“后门”），试图直接接入系统底层逻辑。

改写轮回：在寅虎给予致命一击的瞬间，龙辰将苏晴捕捉到的、包含系统运行逻辑和寅虎力量来源的“死亡片段”数据流，结合自己的心理学模型，如同病毒代码般强行注入祭坛核心。

目标：篡改“收割灵魂”的核心指令，颠覆“命盘点数”机制。

结局：轮盘新生

系统崩溃与新生：核心代码被改写，生肖系统剧烈震荡后崩溃重组。寅虎力量消散（或被规则反噬）。新规则诞生：玩家的灵魂不再被强制收割，“命盘点数”转化为无害的“探索积分”。副本世界与现实世界的壁垒松动，获得有限、可控的自由穿梭权限。

代价与希望：苏晴因过度使用能力陷入深度昏迷（有恢复希望）。龙辰在现实世界找到获救但失忆的女儿，面临重新建立亲情的挑战。小狐狸（卯兔）获得自由，可能以新身份游走于两界。

新的邀请：尘埃落定后，龙辰收到一封比之前更精美、材质非金非木的邀请函。封面不再是生肖轮盘，而是缓缓旋转的深邃星图。打开后，内页只有一行字：“星座迷局已开启，尊敬的‘破壁者’，期待您的表现。”龙辰望向窗外，眼神复杂，新的未知挑战已然降临。

4.1.2 优化大纲的实用技巧

在小说创作的征程中，大纲就像是为故事搭建的坚实骨架，它勾勒出情节的走向、人物的脉络与主题的轮廓。然而，一个初具雏形的大纲往往只是创作的起点，唯有经过精心雕琢与反复打磨，才能使其真正具备支撑一部优秀小说的潜力。在当今数字化创作浪潮的推动下，利用AI进行“数据校验 + 逻辑补全”的双重优化策略，便是开启创作成功之门的两把关键钥匙。

1. 优化策略一：数据校验，筑牢内容合规基石

网络文学平台，如起点中文网，凭借其庞大的用户基础与多元的作品类型，为无数创作者提供了展示才华的广阔舞台。然而，为了维护平台的健康生态与积极导向，起点中文网制定了严谨的《核心价值观合规指南》，明确划定了创作的边界，将“血腥暴力”“封建迷信”等不良内容拒之门外。想象一下，一位作者倾注心血构建的大纲，因包含一丝违规元素而在审核环节被驳回，这无疑是对创作热情的沉重打击。幸运的是，“Kimi 写作助手”应运而生，它宛如一位经验丰富的审查专家，当作者将起点中文网的合规指南输入其中，它便能以精准的眼光扫描大纲的每一处细节，迅速标记出潜藏的“风险暗礁”。

以一部玄幻小说的大纲为例，作者为了塑造反派角色的残忍形象，设计了一场极其血腥的祭祀场景，鲜血淋漓，充满恐怖元素。在输入 Kimi 写作助手后，工具瞬间定位这一情节，明确指出其涉及“血腥暴力”风险，并建议作者进行调整。或许可以将其改为反派运用暗黑法术制造神秘灾难，既能保留反派的威胁性，又避免了血腥画面。借助此类工具，可显著降低审核驳回率，这是无数创作者得以顺利通过审核、避免无谓修改的希望曙光。

2. 优化策略二：逻辑补全，雕琢故事节奏华章

内容合规只是基础，要想让小说真正赢得读者的青睐，关键在于对故事节奏的精妙掌控。节奏，是小说的灵魂脉搏，它掌控着读者的情绪起伏与阅读期待。而 Kimi 写作助手在这方面同样能大显身手。

《诡秘之主》作为网络文学史上的里程碑式作品，其章节节奏堪称教科书级别。主角克莱恩·莫雷蒂的每一次的精彩经历，都巧妙地分布在紧张刺激的剧情推进中，故事环环相扣，高潮间隔精准把控在 15 ~ 20 章，既让读者充分沉浸于故事的精彩，又适时给予他们惊喜与满足。

在借助 AI 工具写作时，当作者的大纲在节奏分析中出现“升级间隔超过 25 章”的情况时，Kimi 就会及时发出提醒。比如在一部修仙小说大纲里，主角在闭关修炼的章节中长时间苦修，却毫无进展与突破，情节陷入停滞。Kimi 建议插入“支线任务奖励”节点，如主角在闭关中途偶然发现一处上古传送阵，通过它参与了一场秘境争夺之战，不仅收获了珍贵的灵宝，还结识了关键的盟友。这样的调节节点，宛如在平静的湖面上投入一颗石子，激起读者兴趣的层层涟漪。这意味着作者能更稳健地抓住读者的心，让作品在竞争激烈的网文市场中脱颖而出。

3. 优化案例

接下来，通过案例《灵境之子》在 Kimi 中的优化，进一步讲解优化技巧。

第一步，在 Kimi 中上传小说大纲并进行文本分析，提示词如图 4-7 所示。《灵境之子》大纲见表 4-7。

图4-7　在Kimi对话框中输入相关内容

表4-7《灵境之子》大纲

小说类型	玄幻冒险
小说名称	《灵境之子》
大纲内容	主角李然，一个普通少年，意外发现自己拥有进入灵境空间的能力。灵境空间中，有各种灵兽和灵宝。
第1章	李然在一次山间探险中，偶然发现了一处神秘山洞，误打误撞进入灵境空间，得到了一块能感知灵力的玉佩。
第2章	他尝试着再次进入灵境，发现可以带物品出来，便开始在村里小规模地出售一些稀有灵草，生活逐渐好转。
第3章	消息传开后，引起了当地豪绅赵员外的注意，赵员外想霸占灵境入口。
第4章	李然拒绝，与赵员外的人发生冲突，勉强逃脱。
第5章	李然继续探索灵境，发现了一只受伤的灵兽，治愈了它。
第6章	那只灵兽成为他的伙伴，帮助他深入灵境。
第7章	李然在灵境深处发现了一座古旧祭坛，祭坛上有一本神秘功法。
第8章	他开始修炼功法，实力大增。
第9章	赵员外联合官府的人，再次来找李然麻烦。
第10章	李然凭借灵境伙伴和自身实力，击退敌人，保护了灵境秘密。
后续章节	计划描述李然不断历练变强，与各方势力周旋，探索灵境奥秘，最终成为灵境之主。

Kimi 分析文档后指出小说存在的问题见表 4-8。

表4-8《灵镜之子》大纲存在的问题

问题分类	具体问题描述
故事情节节奏	前几章节奏拖沓，主角进入灵境、发现玉佩、出售灵草等情节铺垫过长，且冲突出现较晚，读者可能在第4章之前都难以感受到紧张刺激的氛围，容易失去阅读兴趣。
反派塑造	赵员外作为反派，动机单一，仅为霸占灵境入口，缺乏更深层次的背景铺陈，难以让读者对其产生足够的痛恨或恐惧，影响正邪冲突的张力。

续表

问题分类	具体问题描述
灵境设定	灵境空间的设定不够详细，如灵境的规则、灵兽的种类与习性、灵宝的分布与获取方式等都未明确，导致主角在灵境中的探索和成长缺乏足够的逻辑支撑和新奇感。
主角塑造	主角成长线单一，主要体现在实力提升上，性格、情感等方面的成长展现不足，人物形象不够立体丰满。
情节连贯性	情节较为流水账，各章节之间的转折和因果关联不够紧密，例如主角修炼功法后实力大增，但如何运用功法影响后续与赵员外的冲突等未明确，使故事缺乏连贯性和紧凑度。

第二步，借助 Kimi 写作助手进行优化。

（1）优化开头节奏

参考 Kimi 的建议，对开头几章进行精简和调整。例如，将第 1 章和第 2 章合并，加快主角进入灵境并发现玉佩的节奏，同时在第 2 章就引入赵员外觊觎消息，让冲突的阴影提前笼罩，增加故事的紧张感。在 Kimi 写作助手的灵感激发功能辅助下，构思一些更富有冲击力的开篇场景，如主角在进入灵境时遭遇灵兽袭击，险些被发现，从而更自然地引出灵境的危险性以及后续赵员外的威胁。

（2）丰富反派背景

利用 Kimi 写作助手的角色设定功能，为赵员外构建更复杂的背景故事。例如，赵员外曾是一个有灵力天赋的人，但因某次意外失去了能力，因此对灵境充满渴望，想要霸占灵境入口以寻求恢复实力的方法。这一背景可通过回忆或侧面描写的方式，随着故事发展逐渐展现，使赵员外不再只是一个简单的贪婪反派，而是一个有着扭曲执念的人物，增强正邪冲突的复杂性和深度。

（3）完善灵境设定

借助 Kimi 写作助手的世界观构建功能，详细设计灵境空间的规则，如每天只有特定时间可以进入，每次进入最多停留多长时间等；丰富灵兽的种类，按照等级划分不同的灵兽，各自有不同的习性和能力；明确灵宝的分布与获取方式，如某些灵宝需要完成特定任务或解开谜题才能获得。这些设定可以通过主角在灵境中的探索过程，以发现和学习的方式逐步呈现在故事中，使灵境空间更加真实、立体，为主角的成长和冒险提供更广阔且合理的舞台。

（4）深化主角成长线

在 Kimi 写作助手的人物成长轨迹功能的辅助下，为李然设计更多维度的成长。除了实力提升，加入他在与赵员外的冲突中逐渐学会团结他人，从一个孤单的少年成长为能够带领村民抵御外敌的领袖；在灵境探索中，与灵兽建立深厚情感纽带，从最初的利用灵兽获取资源到后来为保护灵兽与灵境的平衡而奋斗，展现其性格和情感的成熟。在后续章节中，增加主角内心的挣扎与抉择的情节，如为了获取强大灵宝拯救村民而面临道德困境等，使人物形象更加丰满真实。

（5）优化情节连贯性

根据Kimi写作助手的章节连贯性分析结果，对各章节之间的过渡进行调整。例如，在主角修炼功法后，详细描写他如何运用功法提升自己的灵力感知能力，从而在第9章与赵员外的冲突中提前发现敌人的阴谋，巧妙布局反击；在第6章获得灵兽伙伴后，让灵兽在后续的探索和战斗中发挥关键作用，如灵兽的特殊能力帮助主角解开灵境深处的封印等，增强情节的因果关系和连贯性，使故事成为一个紧密相连、环环相扣的整体。

（6）反复评估与调整

在完成上述优化步骤后，再次将修改后的大纲输入Kimi写作助手进行评估，查看是否还有其他潜在问题或可以进一步提升的地方。依据Kimi的反馈，对大纲进行反复修改完善，直至故事节奏紧凑。

4.2 运用AI细化内容创作

在网文创作中，场景描写的沉浸感与对话设计的真实感直接影响读者的代入感。AI工具能通过风格模拟、细节补充、逻辑校验等功能，为内容创作提供精准辅助，且已被多位资深作者验证其有效性。

4.2.1 场景描写的AI赋能

场景描写需兼顾氛围渲染与信息传递，AI工具可通过分析同类佳作的描写逻辑，生成符合文风的细节补充。下面将通过具体案例、优化方案和详细的操作步骤，为你拆解如何借助AI，将场景描写从基础框架打磨成充满感染力的文字，让创作更高效、更出彩。

1. AI工具赋能场景描写案例

AI工具在场景描写中展现出强大的适配性，无论是赛博朋克的机械废墟、宫廷夜宴的奢华张力，还是修仙山门的灵韵、都市雨夜的孤寂，抑或古风破庙的萧瑟，均能通过DeepSeek、豆包、Kimi等工具，依据精准提示词实现从单薄描写到细节饱满的蜕变——既贴合题材风格，又强化场景核心氛围，为不同类型的场景创作提供切实有效的技术支撑。

（1）用 DeepSeek 优化赛博朋克风格的“废弃霓虹街区”场景

初始描写“霓虹灯闪烁，垃圾堆满地”过于简略，既无赛博朋克标志性的机械与破败对比，也缺乏细节支撑，用 DeepSeek 优化时，可锚定《银翼杀手》的视觉风格，补充核心元素，强化风格辨识度。通过 DeepSeek 对初始描写进行优化，增加视觉描写，以达到满意效果，见表 4-9。

表4-9 DeepSeek优化赛博朋克风格描写

初始描写	霓虹灯闪烁，垃圾堆满地。
修改提示词	参考《银翼杀手》视觉风格，强化机械与破败的对比，补充5处具有赛博朋克特征的细节（如废弃机械、电子屏故障效果）。
AI生成	锈蚀的机械臂挂着闪烁的霓虹招牌，液态广告屏的蓝光在积水里碎成万片，流浪猫踩着过期营养液罐头，发出类似电路短路的叫声。
创作者修改	创作者将“液态广告屏”改为“神经投影广告”，贴合世界观设定。

（2）用豆包优化“皇宫夜宴”场景

初始描写“宫殿里很热闹，大家在喝酒”仅勾勒浅层场景，缺少宫廷奢华感与暗藏的紧张氛围，用豆包优化需从五感维度补充细节，让场景更立体鲜活。通过豆包对初始描写进行优化，增加五感描写，以达到满意效果，见表 4-10。

表4-10 豆包优化皇宫夜宴描写

初始描写	宫殿里很热闹，大家在喝酒。
修改提示词	以“宫廷夜宴”为背景，补充视觉（灯光、建筑）、听觉（器物碰撞、乐声）、隐藏元素（侍卫、环境动态）的细节，体现奢华中暗藏紧张感。
AI生成	鎏金宫灯的光晕落在白玉阶上，酒盏碰撞声混着丝竹声漫过盘龙柱，檐角铁马被夜风拂动，叮咚声压着暗处侍卫的靴底摩擦声。

（3）用 Kimi 调整“修仙门派山门”场景

初始描写“山上有很多树，有座桥”直白平淡，未体现修仙世界“灵气充盈”的核心特质，用 Kimi 调整时，需为基础元素注入与灵气相关的细节，凸显世界观特色。通过 Kimi 对初始描写进行优化，增加灵性视觉描写，强化修仙世界特质，以达到满意效果，见表 4-11。

表4-11 Kimi优化修仙门派山门描写

初始描写	山上有很多树，有座桥。
修改提示词	围绕“修仙门派灵气充盈”的核心设定，为“山、树、桥”添加灵气相关的视觉细节（如光雾、灵草、灵气流动效果），避免直白描述。
AI生成	青石桥下的溪流泛着淡金色灵气，两岸古松的针叶上凝着露珠，滴落时砸在灵草叶片上，溅起细碎的光雾。

（4）用 DeepSeek 细化“现代都市雨夜便利店”场景

初始描写“便利店亮着灯，外面在下雨”缺乏氛围营造，未传递“孤独感”这一核心情绪，用 DeepSeek 细化时需聚焦光影与声音的细节，让场景承载情感张力。通过 DeepSeek 对初始描写进行优化，增加感受的描写，以达到满意效果，见表 4-12。

表4-12 DeepSeek优化现代都市雨夜便利店的描写

初始描写	便利店亮着灯，外面在下雨。
修改提示词	以“孤独感”为核心氛围，补充雨夜便利店的光影细节（如玻璃上的水汽、货架阴影）、声音元素（如冰柜运行声、雨打棚顶声）。
AI生成	冷白灯光从便利店的玻璃门渗出来，在积水里铺成破碎的方块，雨点击打棚顶的噼啪声盖过冰柜的嗡鸣，货架阴影里的泡面桶标签被水汽晕成模糊的色块。

（5）用豆包完善“古风破庙残雪”场景

初始描写“破庙里有积雪，墙角有草堆”仅罗列元素，无“萧瑟中藏生机”的对比感，用豆包完善，需补充环境状态与微小生命细节，让场景更有层次。通过豆包对初始描写进行优化，增加环境状态描写，以达到满意效果，见表 4-13。

表4-13 豆包优化古风破庙残雪描写

初始描写	破庙里有积雪，墙角有草堆。
修改提示词	突出“萧瑟中藏生机”的对比感，补充积雪状态（如屋檐冰凌、地面残雪）、破庙细节（如漏风的窗棂、残存的壁画）、微小生命迹象（如鼠洞、枯草新芽）。
AI生成	屋檐垂下的冰凌折射着淡日微光，地面残雪里露出半截枯草，漏风的窗棂吱呀作响，墙角草堆下的鼠洞旁，竟有嫩芽顶破冻土。

2. 场景描写的 AI 优化方案

在场景描写的 AI 赋能中，针对不同创作需求可采用三类核心优化方案：多风格定向生成借助豆包实现场景的差异化表达；高频意象提取通过 DeepSeek 提炼题材共性元素；冗余内容的精简则由 Kimi 完成。三者从风格多样性、细节精准度、节奏紧凑度三个维度，为场景描写提供全方位的技术支撑。

（1）多风格定向生成

针对同一场景生成差异化表达，适配不同文风需求（如极简、华丽、感官聚焦），增强场景的可塑性。

第一步，向豆包输入场景基础信息，明确核心元素与风格变量。提示词与核心要素见表 4-14。

表4-14 提示词和核心要素

提示词	定义“都市异能咖啡馆”场景：核心元素为“玻璃幕墙、咖啡机、异能者、雨夜”；需生成3种风格（极简风/华丽风/感官聚焦风），分别标注“删减修饰词”“强化修辞”“突出五感细节”的风格参数。
核心要素	空间（咖啡馆内外）、器物（咖啡机/霓虹招牌）、人物特征（异能者的电光味）、环境（雨丝/光影）。

第二步，针对每种风格设计专属提示词，明确语言特征与细节侧重，见表4-15。

表4-15 不同风格提示词及生成内容

提示词风格	提示词	AI生成
极简风	用最少修饰词（每句不超过20字），保留“动作+核心器物”，删除形容词堆砌，如“雨砸招牌，咖啡机吐白汽”。	玻璃幕墙外的雨丝斜斜砸在霓虹招牌上，吧台后的咖啡机嘶嘶吐着白汽。
华丽风	融入比喻/通感修辞（如“灯光像彩虹”“气味有质感”），补充雕花/水晶等精致元素，增强画面层次。	水晶吊灯折射出彩虹，咖啡豆的焦香混着异能者身上的电光味，在雕花窗棂投下的光斑里浮动。
感官聚焦	从“触觉（咖啡杯温度）、听觉（摩擦声/电流声）”切入，弱化视觉全景，强化局部感官体验。	指尖触到咖啡杯的烫意时，耳边传来邻座风衣摩擦的沙沙声，混着墙缝里渗出的微弱电流声。

（2）高频意象提取

通过分析同类题材的爆款作品，提炼场景高频关联元素（如“雨”“芭蕉”“铜环”），建立可复用的细节库，增强描写的题材适配性。

第一步，明确题材类型、分析样本量及核心意象，向 DeepSeek 输入精准指令，提示词和反馈结果见表 4-16。

表4-16 提示词和反馈结果

提示词	分析古风宅斗文平台数据，提取与“雨”相关的高频关联元素（器物/环境/动作），统计出现频次≥10次的元素，按关联强度排序。
AI反馈结果	Top3关联元素：芭蕉（出现38次）、铜环（29次）、烛影（25次）；典型搭配：“雨打芭蕉+铜环碰撞”“烛影摇晃+雨声”。

第二步，针对提取的高频元素，分析其在场景中的功能（如氛围渲染、情节暗示），建立“元素 + 作用”对应表。提示词及 AI 分析结果见表 4-17。

表4-17 提示词及AI分析结果

提示词	解释“雨+铜环”在宅斗文中的功能，结合具体场景（如偷听/密谋）说明作用，举例说明。
AI解读	铜环多为门环，雨声掩盖铜环碰撞声，可暗示“有人潜入”；如“雨夜偷听时，雨打芭蕉声盖过廊下铜环轻响——暗示偷听者靠近”。

第三步，将元素库应用于具体场景，保留关联逻辑并加入个性化设定。具体场景示例见表 4-18。

表4-18 具体场景提示词及AI生成内容

创作场景	雨夜偷听嫡母密谋
提示词	用“雨+芭蕉+铜环+烛影”元素，描写“偷听时突然被发现”的瞬间，突出“声音掩盖－破绽出现”的转折。
生成内容	雨打芭蕉的闷响盖过廊下铜环碰撞，窗纸上映着的烛影忽然晃了晃——原来脚步声早被雨声藏住，直到烛影被挡住才惊觉有人靠近。

（3）冗余内容压缩

剔除场景描写中的无效信息（如重复修饰、无关细节），保留核心冲突与画面要素，适合网文快节奏的阅读需求。

第一步，向 Kimi 输入待压缩文本，随后输入提示词，等待片刻后，即可获得 AI 工具标记的核心元素，见表 4-19。

表4-19 借助AI工具标注核心元素

原文片段	妖兽森林里的树非常高，把天完全遮住了，地上全是腐烂的叶子，脚踩上去发出咯吱声。突然，有什么东西动了——是藤蔓！它们从腐叶下面钻出来，快速地抽动着。空气里有一股腥味，还有松树的味道，很难闻。远处好像有眼睛在看，闪着光，盯着我脚下的骨头。
提示词	标记必须保留的核心元素（如关键器物、动作、氛围词）。
AI标记核心元素	巨木遮天、腐叶、藤蔓抽动、腥气+松脂味、暗处竖瞳、白骨。

第二步，设定压缩参数与保留优先级，明确压缩目标（如字数减至 60% ~ 70%），并指定保留优先级（动作>氛围>修饰）。

示例提示词：

将这段描写压缩至 80 字以内，保留“藤蔓抽动（核心动作），竖瞳（冲突点），腥气＋松脂味（氛围）”，删除“树非常高”“很难闻”等冗余表述，用短句增强节奏感。

第三步，对比压缩前后的内容，检查核心元素是否完整，节奏是否紧凑。校验优化内容见表 4-20。

表4-20 校验优化内容

AI压缩版本	巨木遮天蔽日，腐叶下的藤蔓突然抽动，腥气混着松脂味扑面而来——暗处的竖瞳正盯着靴底碾过的白骨。
校验优化	补充“突然”强化动作张力，保留“靴底碾过”的细节增强代入感，最终版本符合“冲突明确+节奏快”的网文特性。
根据题材调性微调压缩程度	玄幻文可保留70%字数以显宏大，悬疑文压缩至50%以突出紧张感。例如将“藤蔓抽动”细化为“藤蔓突然缠上脚踝”（悬疑文），强化即时冲突。

3. AI工具分步骤优化场景描写

在网文场景创作中，AI工具的协同应用能实现从模糊框架到精准表达的跨越。无论是仙侠门派的诡秘氛围、都市悬疑的真实张力，还是古风战场的悲壮质感，均可通过“设定拆解—细节填充—逻辑校验”的三步法，借助豆包、DeepSeek、Kimi的分工配合，让场景既贴合题材内核，又具备强烈的画面冲击力。以下通过三个典型场景，具体呈现AI工具在分步骤优化中的实战应用。

（1）仙侠门派场景

第一步，用豆包拆解核心设定，向豆包输入精准提示词后，豆包从建筑、器物、环境三个维度进行反馈。

提示词：

以“隐世毒宗大殿”为场景核心，结合“威严”与“诡秘”的双重氛围，从建筑结构、器物细节、环境动态三个维度，生成三个具体描写角度，需包含毒宗专属元素（如毒物标本、腐蚀性物质）。

豆包输出：

建筑维度：梁柱雕刻暗藏毒纹，纹路随光线变化显露出不同毒物形态。

器物维度：香案烟气含腐蚀性，接触桌面会留下淡绿色的痕迹。

环境维度：地砖缝隙渗出墨绿色毒液，踩踏时发出轻微的冒泡声。

第二步，用DeepSeek补充细节，选取建筑与器物维度的方向，向DeepSeek输入提示词。

提示词：

基于“盘龙柱雕刻毒纹”“香案烟气腐蚀桌面”的设定，补充五处具象化细节（如毒纹种类、香案材质、烟气颜色），要求语言兼具古风质感与画面冲击力。

DeepSeek输出：

盘龙柱的鳞甲缝里嵌着风干的毒蝎标本，尾刺仍泛着青黑色的寒光；青玉香案上的三炷毒香燃出紫灰色烟气，坠落的香灰落在案面，瞬间蚀出细密的蜂窝状小坑，坑底渗出黏腻的墨绿色液体。

第三步，用Kimi校验逻辑一致性，将生成的内容导入Kimi，输入提示词，随后AI分析并提出修改建议。

提示词：

检查这段描写是否符合“隐世毒宗”的低调隐秘设定，删除与“奢华”相关的元素，保留毒宗核心特征。

DeepSeek输出：

删除“青玉香案”中可能暗示奢华的“青玉”，改为“黑石香案”。

调整“蜂窝状小坑”的描述，避免过度夸张，改为“细密的针孔状凹痕”。

最终版本：“盘龙柱的鳞甲缝里嵌着风干的毒蝎标本，尾刺仍泛着青黑色的寒光；黑石香案上的三炷毒香燃出紫灰色烟气，坠落的香灰落在案面，瞬间蚀出细密的针孔状凹痕，坑底渗出黏腻的墨绿色液体”。

（2）都市悬疑公寓

第一步，用豆包定位氛围关键词，向豆包输入精准提示词后，豆包从视觉、听觉、嗅觉三个方面进行反馈。

提示词：

以“凶案现场公寓”为场景，围绕“压抑感”“真实感”两个核心，从视觉（光线、家具状态）、听觉（环境音）、嗅觉（特殊气味）三个感官维度，生成三个描写方向，需符合“老旧出租屋”的基础设定。

豆包输出：

视觉：阳光被破损的窗帘切割成狭长光斑，斜照在翻倒的木桌上，桌腿的裂痕里卡着半片带血的指甲。

听觉：窗外的蝉鸣突然中断时，能听见地板缝隙里传来的黏滞摩擦声。

嗅觉：空气中的铁锈味混着过期牛奶的酸腐气，在封闭空间里凝成厚重的味道。

第二步，用DeepSeek强化画面张力，选取视觉方向，向DeepSeek输入相对应的提示词，等待片刻后生成内容。

提示词：

基于“翻倒的木桌”“带血的指甲”的细节，补充三处能体现“搏斗痕迹”的动态描写（如物品散落状态、墙面痕迹），语言需克制但充满暗示性。

DeepSeek输出：

翻倒的木桌腿上缠着半截麻绳，绳结处沾着暗红的血渍；对面的石灰墙被撞出浅坑，坑边的墙皮剥落处，挂着一缕深色的纤维——像是从凶手的衣袖上刮下来的。

第三步，用Kimi校准场景真实性，将内容导入Kimi，输入精准提示词，等待 Kimi 输出内容。

提示词：

检查这段描写是否符合“老旧出租屋”的设定，删除可能出现在高档公寓的元素，补充符合“破旧感”的细节（如家具磨损、墙面污渍）。

Kimi 输出：

删除原句中可能暗示高档的“石灰墙”，改为“泛黄的墙纸卷边处”。

补充“木桌边缘的漆皮早已剥落，露出里面发黑的木头纹理”。

最终版本：“翻倒的木桌边缘漆皮剥落，露出发黑的木头纹理，桌腿上缠着半截麻绳，绳结处沾着暗红的血渍；对面泛黄的墙纸卷边处被撞出浅坑，剥落的墙皮挂着一缕深色纤维——像是从凶手的衣袖上刮下来的”。

（3）古风战场残阳

第一步，用豆包构建核心意象，向豆包输入精准提示词后，豆包从器物与自然、声音层次、色彩对比三个方向进行反馈。

提示词：

以“古风战场残阳”为场景，围绕“悲壮感”“荒芜感”，从“器物与自然”“声音层次”“色彩对比”三个角度，生成三组关键意象组合，需包含兵器、自然景物、人体状态元素。

豆包输出：

器物与自然：“断戟斜插在血土中，戟尖挑着半面残破的红旗，夕阳在旗面上投下锯齿状阴影”。

声音层次：“伤兵的呻吟被风吹散时，突然响起鸦群掠过尸山的聒噪声，惊得残旗剧烈抖动”。

色彩对比：“暗红的血渍在夕阳下泛出紫黑，与天边的金红晚霞形成刺目的撞色”。

第二步，用 DeepSeek 串联场景动态，选取前两组意象，向 DeepSeek 输入提示词，等待片刻后生成内容。

提示词：

将“断戟挑红旗”“伤兵呻吟”“鸦群聒噪”的元素串联成连贯的描写，加入三处动态细节（如旗帜飘动幅度、鸦群飞行轨迹、伤兵动作），增强画面的流动感。

DeepSeek 输出：

断戟的尖刃斜挑着半面红旗，残旗被晚风扯得猎猎作响，边角的破洞透出金红的夕阳；下方的伤兵蜷在尸堆旁，每一次喘息都带着血沫，突然扑棱棱飞起的鸦群掠过他头顶，翅膀的阴影瞬间盖住了他苍白的脸。

第三步，用 Kimi 调整节奏，将内容导入 Kimi，输入提示词，等待 Kimi 输出内容。

提示词：

保留核心意象（断戟、残旗、血、夕阳、鸦群、伤兵），删除冗余修饰，将文字压缩至原长的 60%，突出“快节奏”与“冲击力”。

Kimi 输出：

断戟挑着残旗，被晚风扯得猎猎作响，破洞漏出金红夕阳；下方伤兵蜷在尸堆旁，喘息带血沫，鸦群扑棱棱掠过，翅膀的阴影盖住他苍白的脸。

通过删减“尖刃斜”“半面”等次要修饰，保留动作性动词（挑、扯、漏、蜷、掠过），使场景更具张力，符合网文“快速推进画面”的阅读需求。

4.2.2 对话设计的AI应用

对话是塑造角色与推动剧情的关键。AI 工具依托自然语言处理与深度学习技术，能够通过分析角色的年龄、职业、成长背景、性格特质等人设要素，生成符合其身份与性格的语言风格。

例如，当输入一个“出身书香门第、性格敏感细腻的民国女学生”人设时，AI 可自动规避现代网络用语，生成文雅含蓄且带有时代特色的对白；对于性格直爽的职场新人，AI 则会输出简洁明快、充满活力的对话内容。

这种精准的语言匹配不仅让角色更具辨识度，还能通过台词中的隐喻、潜台词巧妙地埋下剧情伏笔，推动故事发展。为了更直观地展现 AI 在对话设计中的应用，以下通过多个典型案例，从不同题材、人物关系出发，展示 AI 如何精准生成符合角色设定的对话内容。

1. AI 工具赋能对话设计

对话是角色灵魂的直接体现，而 AI 工具能通过解析人设特征与关系张力，将单薄的台词转化为充满个性的表达。以下五个案例分别借助 Kimi、豆包、DeepSeek，针对不同角色身份（如高智商富家子与刑警、少年主角、将军与皇子等），通过精准提示词设计，让对话既贴合人物性格，又暗藏剧情伏笔，展现 AI 在对话精细化创作中的实战价值。

（1）用 Kimi 优化高智商富家子与刑警队长的对手戏

面对刑警问询，高智商富家子的初始应答“我没兴趣”过于平淡，难以体现角色玩世不恭与警队直爽痞气的对抗感，用 Kimi 优化时，需锚定两人身份特质，融入生活化元素强化对话张力，见表 4-21。

表4-21 Kimi优化高智商富家子与刑警队长对手戏

初始对话	我没兴趣。
修改提示词	基于角色设定（高智商富家子，玩世不恭；刑警队长，直爽带痞气），将“我没兴趣”改写为带调侃语气、暗含对抗感的对话，融入生活化细节（如饮品、职业相关元素）。
AI生成	转着钢笔笑道：“查案还管嫌疑人的兴趣爱好？不如聊聊你盯梢时喝的蓝山咖啡——报销吗”，保留调侃感且贴合角色身份。

（2）用豆包调整少年主角的承诺对话

拥有特殊能力的少年说出“我会保护你”，虽表心意却缺乏角色辨识度，用豆包优化需结合其能力属性，让承诺更具体，同时凸显少年的赤诚特质，见表4-22。

表4-22 豆包调整少年主角的承诺对话

初始对话	我会保护你。
修改提示词	结合角色设定（拥有特殊能力的少年），将“我会保护你”改写为更具体、带能力特征的承诺，体现少年赤诚。
AI生成	“你记住，只要我的藤蔓还能生长，就没人能碰你一根头发”，既保留核心意思，又强化角色特质。

（3）用DeepSeek打磨将军与皇子的对话

将军外冷内热且有旧伤，皇子隐忍聪慧，初始的“别管我”未能体现两人羁绊与过往经历，用DeepSeek优化时，需注入自嘲语气并暗示旧伤，深化角色关系，见表4-23。

表4-23 DeepSeek调整将军与皇子的对话

初始对话	别管我。
修改提示词	根据角色关系（外冷内热的将军，有旧伤；隐忍聪慧的皇子），将“别管我”改写为带自嘲语气、暗示过往经历（如旧伤）的对话，体现两人羁绊。
AI生成	“咳着笑：‘殿下还是操心自己吧，这点伤，比当年被流矢穿肩轻多了’”，既符合人物关系，又暗藏过往经历。

（4）用Kimi优化急诊医生与焦虑家属的对话

急诊医生面对焦虑家属，仅说“别着急”显得空泛，未体现“专业冷静中藏温柔”的人设，用Kimi优化需加入医学细节，让安慰更具说服力，见表4-24。

表4-24 Kimi优化急诊医生与焦虑家属的对话

初始对话	别着急。
修改提示词	基于急诊医生“专业冷静中藏温柔”的人设，将“别着急”改写为带医学细节、能安抚情绪的对话，避免空泛安慰。

续表

AI生成	监护仪的心率曲线在稳定回升，我们刚用了针对性药物——您看，指氧饱和度从82升到91了，比您进来时好多了。

（5）用豆包完善叛逆少女与班主任的对话

叛逆少女说“我不想学”，未展现“嘴硬心软”的特质与背后隐情，用豆包优化需让对话带刺却暗藏理由，为后续角色转变埋下伏笔，见表4-25。

表4-25 豆包完善叛逆少女与班主任的对话

初始对话	我不想学。
修改提示词	体现叛逆少女“嘴硬心软”的特质，将“我不想学”改写为带刺却暗藏理由的对话（如家庭压力、自我否定），为后续转变埋伏笔。
AI生成	学了又能怎样？反正我这种人……算了，别说了，上课铃响了。

2. 从语料建立到张力提升的实操指南

对话是角色灵魂的发声器，也是剧情推进的隐形引擎。但创作中常面临“人设崩于一句台词”“逻辑毁于一处矛盾”“张力弱于平淡表达”的困境。AI工具的介入，为这些痛点提供了系统化的解决方案：通过豆包建立角色专属对话库，让法医的冷静、说书人的市侩始终如一；借助Kimi扫描全文，将“芒果过敏却记得芒果店”这类逻辑漏洞消弭于无形；利用DeepSeek强化细节暗示，让“你在撒谎”升级为“你摸袖口的动作和上次骗我时一模一样”的张力。下文将拆解具体实操步骤，揭示AI如何让对话既贴合角色身份，又充满戏剧张力。

（1）角色对话库的建立

通过标准化语料库，确保角色对话风格稳定，避免“人设崩塌”。

第一步，人设维度拆解，向豆包输入角色的“三维标签”：职业特征（如法医、说书人）、性格特质（高冷、市侩）、语言习惯（专业术语、方言俚语）。

提示词：

定义“高冷法医”人设：30岁女性，解剖学专家，说话简洁、使用专业术语，情绪内敛，反感主观臆断。请列出5个核心语言特征。

豆包输出：

①常用数据替代形容词；

②用“否定句式+专业依据”回应质疑；

③避免使用语气词；

④偶尔用解剖学比喻描述事物；

⑤结尾常用“完毕”“以上”等收尾词。

第二步，场景化语料生成，针对角色高频场景（如法医勘查现场、说书人开讲前），生成典型对话，覆盖问候、争执、解释等场景。

提示词：

基于“高冷法医”人设，生成5句勘查现场时的对话，需包含“纠正错误判断”“回应催促”“解释发现”三类场景，每句不超过20字。

豆包输出：

①“死者不是溺水——气管里没有水草”；

②“急什么？尸检报告比猜测可靠”；

③“指甲缝里的皮屑，DNA结果明天出”。

第三步，动态迭代优化，将新增对话导入豆包，指令“对比现有语料库，标记不符合人设的表达”，持续优化。例如，发现“这事儿怪哉”不符合法医风格，替换为“该现象不符合常规死亡特征”。

案例效果：

某刑侦文通过建立“法医+刑警”对话库，收到读者反馈“角色说话味儿对了”的评论占比提升，人设一致性评分也大幅度提高。

（2）逻辑矛盾校验

通过AI全量扫描，消除对话中“前后矛盾”“行为脱节”等逻辑漏洞。

第一步，将小说前10章对话整理为纯文本，导入Kimi并输入提示词：提取所有角色对话，标记可能存在逻辑矛盾的语句（如言行不一、记忆偏差、职业常识错误）。

第二步，多维度校验设置，向Kimi补充校验维度：“重点检查①角色陈述的事实是否前后一致；②对话内容是否符合其职业、身份常识；③情绪反应是否与前文事件匹配。”

提示词：

检查男主“医生”身份的对话矛盾，是否存在“声称不懂手术流程”却“描述手术细节”的矛盾，是否有违背医学常识的表述。

第三步，生成精准修改建议，针对Kimi标记的矛盾点，指令：“保留原句核心信息，修改为符合逻辑的表达，说明修改依据。”

案例优化：

某现言中男主说“从没去过上海”，却在后续说“记得外滩的咖啡店”，Kimi建议改为：“我没在上海长住过，但你提过的外滩咖啡店——地址发我，我查查路线。”

第四步，人工复核确认，重点检查修改后的对话是否符合角色性格，例如将“芒果过敏”矛盾改为“我对芒果过敏，但你上次说喜欢那家店的芒果布丁——地址发我”，既消除矛盾又保留角色对女主的关注，更显深情。

（3）冲突张力测试

通过细节具象化增强对话的戏剧张力，提升读者的互动欲望。

第一步，明确对话的核心冲突类型（如刑侦对峙、情感争执、权力博弈），向 DeepSeek 输入场景背景：“刑侦审讯室，嫌疑人试图隐瞒行踪，刑警已知其撒谎，需设计两句对峙台词，一句直白，一句含细节暗示。”

第二步，对比样本生成，令 DeepSeek 分析张力元素：“从动作细节、情感暗示、信息留白三个维度，生成对比台词。”

示例输出：

原始句子：“你在撒谎，那天晚上你根本不在家。”

AI 修改后：“你摸袖口的动作，和上次骗我时一模一样。那天晚上，你袖口沾的梧桐絮，只有城西老巷才有。”

（4）读者反馈测试

向 DeepSeek 输入提示词：“分析哪句更易引发读者追问，说明原因（如‘他为什么摸袖口’‘城西老巷有什么’）”。

DeepSeek 输出：

细节版的具体句子“你摸袖口的动作，和上次骗我时一模一样——那天晚上，你袖口沾的梧桐絮，只有城西老巷才有”，通过两处核心细节引发追问：

①“摸袖口的动作”关联“上次骗我时”的过往事件，读者会追问“上次撒谎的具体情境”。

②“袖口沾梧桐絮”“城西老巷独有”的环境细节，会触发“他去老巷做了什么”“梧桐絮为何成为关键线索”的连锁疑问。这些具象化信息比直白的表述更能制造探索缺口，从而提升读者的互动欲。

通过以上步骤优化，AI 工具从“风格统一”“逻辑自洽”“张力强化”三个维度，为对话设计提供可落地的技术支撑。但需注意，AI 生成的是“高效选项”，最终需结合角色弧光与剧情走向，才能让对话既“带感”又“走心”。

4.3 AI创作内容的优化与完善

AI 生成内容为创作提速的同时，常因逻辑断层、情感悬浮、细节失真而露出“机械感”。无论是修仙文里套路化的秘境描写，还是言情对话中模板化的“霸总语录”，这些“AI 味儿”本质上是内容偏离了人类自然表达的逻辑。本节聚焦于优化核心：通过豆包锚定人设情绪、Kimi 校验逻辑闭环、DeepSeek 补充真实细节，构建从提示词设计到多工具协作的完整方案，让 AI 生成的内容既保留高效优势，又具备人类创作的逻辑深度与情感温度。

4.3.1 消除“AI味儿”的方法

“AI 味儿”常体现为机械套路、逻辑断层或细节悬浮。本节通过五个案例，详解消除之道。从修仙文的提示词四维拆解，到言情对话的人设标签细化，再到历史文的时代细节校验，借助豆包、Kimi、DeepSeek 的协作，让 AI 生成的内容既保留高效性，又贴近人类自然表达的逻辑。

1. 百万字级 AI 修仙小说的结构化优化

通过结构化优化消除“AI 味儿”有以下四种方法。

（1）四维拆解法

将场景按“环境、核心机制、动作链、情感曲线”四个维度拆分，明确每个维度的具体要素，避免 AI 生成内容逻辑出现断层。优化前的例句无具体环境、机制、动作描写，情感表达模糊。优化后的例句则在环境、机制、动作描写、情感状态上大幅度提升，见表 4-26。

表4-26 四维拆解提示词及优化对比

提示词示例	描述主角破阵场景： ①环境需包含“血色雾气（视觉）+金属嗡鸣（听觉）+铁锈味（嗅觉）”； ②核心机制为“北斗七星阵，每颗星对应一种毒物（如贪狼星→蛇毒），需用对应属性精血中和”； ③动作链按“咬破指尖→精血滴落阵眼→按天枢→天璇顺序触星位”执行； ④情感从“指尖刺痛的警惕（皱眉+握剑收紧）”过渡到“星位亮起时的恍然（瞳孔放大+嘴角微动）”。
优化前例句	主角在一个神秘的地方破解了阵法，过程很紧张，最后成功了。
优化后例句	血色雾气里飘着铁锈味，金属嗡鸣像无数细针扎进耳朵（环境）。贪狼星位渗出的蛇毒正顺着纹路蔓延，主角突然想起父亲说过“毒物需精血克之”（核心机制）。他咬破指尖，精血滴在阵眼的瞬间，按天枢→天璇的顺序猛戳星位（动作链）——指尖的刺痛让他皱眉，直到星位亮起时才恍然：原来每颗星的毒物都对应一种灵根属性（情感曲线）。

（2）专业知识植入法

将跨领域专业知识（如量子物理）转化为题材专属术语（如修仙术语），通过“术语对照表”建立关联，确保专业知识自然融入剧情。优化前的例句专业知识生硬，未结合修仙题材，优化后的例句则专业知识融入柔和，见表 4-27。

表4-27 专业知识插入提示词及优化对比

提示词示例	用"量子纠缠→灵根共振""隧穿效应→阵法漏洞"的对应关系设计阵法：主角双生灵根（木+火）的共振频率，需与天权星能量波同步，才能触发0.3秒的隧穿式漏洞（参考量子隧穿时间公式：能量差越小，漏洞持续越久）。
优化前例句	主角懂量子物理，他发现阵法有漏洞，利用科学原理穿过去了。
优化后例句	主角突然明白，双生灵根的共振不是巧合——就像量子纠缠的两个粒子，木属性灵根引动天权星的能量波，火属性灵根则撕开0.3秒的漏洞（隧穿效应）。他盯着星位冷笑："能量差刚好够我过去，这阵法倒是懂量子力学。"

（3）情绪强度值标注法

给关键情节的情绪标注 1~10 分强度值，明确对应的生理、行为表现，避免 AI 生成情绪跳跃。优化前的例句情绪表达单一，缺乏生理细节和层次，优化后，相应的生理和行为表现都得到了增强，见表 4-28。

表4-28 情绪强度值标注法提示词及优化对比

提示词示例	描写破阵失败与觉醒血脉的情绪： ①失败时情绪强度8分（绝望），表现为"肋骨断裂的剧痛中，喉头涌上腥甜，握剑的手在发抖（非疼痛导致），视线里的星位开始模糊"； ②觉醒时强度6分（震惊），禁止"狂喜"，改为"皮肤下突然爬过灼烧感，低头看见血脉纹路时瞳孔骤缩，嘴唇抿成直线（克制激动）"。
优化前例句	主角破阵失败后很伤心，后来觉醒了血脉，非常高兴。
优化后例句	阵法反噬的力道撞断他三根肋骨，喉头的腥甜让视线发花，握剑的手明明不疼，却抖得像秋风里的枯叶——原来连最后一丝希望都碎了（强度8分）。突然，断裂的经脉传来灼烧感，他低头看见皮肤下爬满暗红色纹路，瞳孔猛地收缩，嘴唇抿成一条直线：这是禁忌血脉……（强度6分）。

（4）变量控制法

固定核心动作，仅变化环境细节生成多版本，通过对比选择独特性更强的描写。优化前的例句，环境描写单一，无独特细节，提示词与优化前后见表 4-29。

表4-29 控制变量法提示词及优化对比

提示词示例	保持"主角滴血破阵"核心动作不变，生成3版环境变量： ①变量1（腐肉味+地面震动）：血珠坠向阵眼时，腐肉味突然变浓，地面以每秒3次的频率震动，像有东西在地下磨牙； ②变量2（冰晶碎裂声+蓝光）：血滴触星位的瞬间，冰晶碎裂声从四周传来，阵眼炸开淡蓝光，在血色雾气里撕出裂缝； ③变量3（沙粒流动+低语）：精血渗入阵眼时，地面沙粒突然逆流，耳边响起模糊的低语"终于等到你"。

续表

优化前例句	主角咬破手指，把血滴在阵眼上，周围有雾气，然后阵法有了反应。
优化后例句（选变量2）	他咬破指尖，精血滴在星位上的瞬间，冰晶碎裂的脆响从四面八方传来。阵眼突然炸开淡蓝色的光，像把锋利的刀，在血色雾气里撕出一道摇曳的裂缝。

2. 历史穿越类小说的时代错位修正

针对历史穿越小说中“时代错位的违和感”，有以下方法可以进行修正。

（1）破解 AI 的“现代元素穿越”问题

AI 易混淆古今物品或习俗，生成“唐代用玻璃水杯”“喝茶加糖”等错误内容，且描写缺乏细节。这个问题可以通过建立时代知识库得到妥善解决。

第一步，进行资料筛选与知识库搭建。

提示词示例：

创建唐代生活知识库，需包含：

①物品类，如平民/贵族照明工具差异；

②习俗类，如煎茶步骤，依据《茶经》；

③语言类，如夫妻称谓，排除明清词汇。标注 AI 易混淆项，如玻璃器≠平民用品等。

物品类、习俗类、语言类知识库生成示例分别见表 4-30 ~ 表 4-32。

表4-30 物品类知识库示例

名称	平民	贵族	易混淆
照明工具	油灯（菜籽油为燃料，灯芯需常修剪）。	烛台（蜜蜡制蜡烛，燃烧无烟且有香气）。	平民极少使用蜡烛，蜡烛为贵族用品。
茶具	粗瓷碗（表面粗糙，多有窑变斑点）。	越窑青瓷盏（质地细腻，釉色如冰似玉）。	玻璃器在唐代仅为贵族稀有玩物，平民无缘使用。

表4-31 习俗类知识库示例

习俗	内容	易混淆提示
煎茶步骤	炙茶（将陈茶炙烤干燥）→碾茶（用茶碾将茶饼碾碎）→罗茶（用茶罗筛出茶末）→煮水（水初沸加盐，二沸舀出一瓢水备用，投入茶末）→育华（将备用的水倒入止沸）→分茶（将茶汤连茶末分入茶碗）。	唐代无泡茶习俗，煎茶常加盐调味，非加糖。

续表

习俗	内容	易混淆提示
夫妻相处	妻子当面最常用“郎君”，丈夫当面最常用“娘子”，双方书信或对外场合则以“良人/细君”“夫君/内人”等为主。	“丈夫”为明清后称谓，唐代不适用。

表4-32 语言类知识库示例

词汇	正确表达	易混淆提示
夫妻称谓	良人、郎君、娘子、卿。	避免使用“老公”“老婆”“内人”等后世词汇。

第二步，AI 错误检测。将生成的知识库与文章上传至豆包，输入对应提示词，提示词、优化前后对比，见表 4-33。

表4-33 根据知识库修改的内容

提示词示例	扫描文本，标记三类错误： ①物品错误，如“玻璃水杯”替换为“粗瓷碗”； ②习俗错误，如“泡茶加糖”替换为“煎茶加盐”； ③语言错误，如“老公”替换为“良人”。每处错误需注明史料依据，如《茶经》卷下“煮茶加盐”。
优化前例句	老公递来玻璃水杯：“这茶加糖才好喝。”
优化后例句	良人把粗瓷碗推过来，碗沿还沾着昨天的茶渍：“按你说的，煮茶时多加了半勺盐。”（依据《茶经》煎茶加盐习俗）

（2）替换 AI 的“模板化历史描写”

AI 在进行历史描写时会使用“古代茶馆有人喝茶”等通用模板，缺乏时代细节，比如茶具磨损的痕迹，而这可以通过语境替换进行优化。

第一步，功能等效替换，提示词、优化前后对比，见表 4-34。

表4-34 功能等效替换

提示词示例	将现代元素替换为唐代等效物，保留功能但需体现时代特征： ①“纸巾擦手”→“麻纸（边缘毛刺+茶末）”； ②“玻璃杯喝茶”→“越窑盏（冰裂纹+茶垢）”。需包含1处使用痕迹描写。
优化前例句	他用纸巾擦手，拿起玻璃杯喝茶。
优化后例句	他抓起茶案上的麻纸——边缘还沾着昨天的茶末，擦过手后拿起越窑盏，冰裂纹里卡着半粒盐巴。

第二步，植入“反 AI 套路”细节，提示词、优化前后对比，见表 4-35。

表4-35 植入"反AI套路"细节

提示词示例	描写唐代茶肆，需包含2个AI低频细节： ①茶博士烤茶时"袖口擦汗，茶末沾在布衫肘部"； ②铁碾子"齿缝卡着茶渣，木柄包浆发亮"。禁用"喝茶""茶馆"等笼统词汇，改用"碾茶""釜沸"等具体动作。
优化前例句	茶馆里很多人喝茶，气氛很热闹。
优化后例句	茶博士把烤焦的茶饼往铁碾子里塞，肘部布衫沾着茶末——他刚用袖口擦过汗。釜里的水咕嘟冒泡，混着胡商"买两斤蜀茶"的吆喝，铁碾子齿缝卡着的茶渣被碾成了粉。

3. 农村题材场景：消除"脱离现实的模板化"

在处理AI无法区分农村与城市分别对应的现实情况时，可以采取以下办法。

（1）打破AI的"城乡无差别描写"（地域特征提取）

AI套用城市模板描写农村，导致生成"农村冰箱装满进口水果"等脱离农村经济水平的内容，细节同质化。优化时，可以提取地域特征加入文稿中。

第一步，三维锚定地域特征，提示词、优化前后对比，见表4-36。

表4-36 三维锚定地域特征

提示词示例	描写2018年豫东农村冬景，需包含： ①地理特征——盐碱地地表白霜，刺槐树干虫洞； ②经济水平——二手海尔冰箱，贴2015年日历； ③生活习惯——煤炉取暖，烟囱结煤垢。禁用"鸡犬相闻""炊烟袅袅"等AI高频词。
优化前例句	农村院子里有鸡，烟囱冒着烟，很热闹。
优化后例句	院墙上的鸡笼破了个洞，老母鸡把蛋下在化肥袋里——袋上"2017年复合肥"的字都褪色了。煤炉烟囱伸出窗户外，黑煤垢结得像串葡萄，刺槐树干的虫洞积着白霜。

第二步，生成"反AI套路"动态细节，提示词、优化前后对比，见表4-37。

表4-37 生成"反AI套路"动态细节

提示词示例	描写农村妇女用缝纫机改衣服的场景，需包含： ①设备特征——蝴蝶牌二手缝纫机，踏板裂缝贴胶布； ②动态细节——卡线时用顶针刮线头，针扎破手指吮了吮； ③环境互动——煤灰飘落在布上。
优化前例句	她用缝纫机改衣服，很认真。
优化后例句	蝴蝶牌缝纫机的踏板裂了道缝，贴的胶布都卷边了。她正把孩子穿小的校服改给妹妹，针头突然卡线——用顶针刮线头时，针扎破拇指，往嘴里吮了吮，煤灰从炉子里飘出来，落在蓝布上像撒了把芝麻。

（2）修正 AI 的“逻辑悬浮”问题

AI 会忽略经济、物流限制，导致生成“农村冰箱装满进口水果”等矛盾内容，且物品无使用痕迹。可以通过校验生活逻辑修复矛盾内容，按照以下步骤优化。

第一步，逻辑链验证与替换，提示词、优化前后对比，见表 4-38。

表4-38 逻辑链验证与替换

提示词示例	修正冰箱描写，需符合21世纪初豫东农村逻辑： ①经济水平——二手冰箱，日均收入30元，买不起进口水果； ②物流限制——无冷链，水果易烂； ③用途——储存冻粮而非高价水果。
优化前例句	冰箱里有车厘子、草莓，还有可乐。
优化后例句	冷冻室的霜结了半指厚，最底下压着去年的玉米馒头，塑料袋上的“惠民超市”标签磨得只剩个“惠”字。冷藏室里，半瓶散装白酒斜着——瓶盖没拧紧，沿儿上结了层白霉。

第二步，植入“人类生活痕迹”，提示词、优化前后对比，如表 4-39。

表4-39 植入“人类生活痕迹”

提示词示例	描写农村搪瓷缸，需包含三类痕迹： ①物理痕迹——缸口缺瓷，铁皮露锈； ②时间痕迹——“劳动最光荣”红字褪成粉白； ③情感痕迹——孩子用马克笔涂的歪扭笑脸。
优化前例句	桌上有个搪瓷缸，里面装着水。
优化后例句	缸口缺了块瓷，露出的铁皮锈成了褐红色，沿儿上沾着圈茶渍。“劳动最光荣”的红字褪得快看不见了，缸身画着个歪扭的笑脸——是小孙子用马克笔涂的，鼻尖还点了个黑点儿。

4.3.2 检查与修改的要点

“AI 味儿”的本质是内容偏离人类自然表达逻辑，表现为逻辑断层、情感悬浮、细节失真、风格割裂四大典型问题。以下我们从“检查维度—工具应用—修改步骤”三个层面，详解如何精准识别并修正这四大典型问题。

1. 逻辑断层：检查“因果链条断裂”

“AI 味儿”的特征表现为角色行为缺乏合理动机，或前后设定矛盾。比如“新手黑客突然攻破军方系统”，再比如“声称恐高却从直升机跳伞”。以“新手黑客攻破加密系统”为例，将 AI 生成的原始内容上传至 Kimi 之后，Kimi 的建议是补充隐性信息载体，见表 4-40。

表4-40 调整逻辑使其合理

原始内容概要	主角从未接触过编程，却在10分钟内攻破了公司加密数据库，下载了核心文件。
提示词示例	提取第5章主角“黑入公司数据库”的动机→行动→结果，标记关联强度（强/中/弱），冲突值>60%需标注。
Kimi检测结果	动机（“想获取工资条”）→行动（“输入密码”）→结果（“成功下载”），关联强度均为“弱”，冲突值92%（“无编程基础”与“攻破加密系统”矛盾）。
优化提示词示例	为“新手黑客破密”补充合理信息来源，需符合“新手”设定。比如“祖传加密手册、观摩同事操作、系统漏洞巧合”。
优化前例句	我从未学过编程，却攻破了公司数据库。
优化后例句	上周帮IT部王哥收拾工位时，捡到他写着“系统后门密码”的便签——今天试了试，居然真的登上了数据库。

2. 情感悬浮：检查“情绪与场景脱节”

“AI 味儿”的特征表现为角色情绪与身份割裂，如“军人在牺牲战友墓前嬉闹”或表达方式单一，如“感动”仅用“泪流满面”来表达。以“军人在追悼会现场大笑”为例，将 AI 生成的原始内容上传至豆包后，豆包建议生成人设情绪词典，见表 4-41。

表4-41 调整情感使其落地

原始内容概要	连长在战友追悼会上突然大笑，说“他终于解脱了”，周围人都很感动。
提示词示例	统计第8章“战友追悼会”中“嬉闹/严肃/悲伤”的词频，判断是否符合“铁血军人”人设（严肃词占比应>70%）。
豆包检测结果	“大笑”“嬉闹”出现3次，严肃词占比20%，与“铁血军人”人设冲突，情绪极值词堆砌，比如“大笑+感动”。
优化提示词示例	为“铁血军人”生成追悼会情绪词库，禁用“大笑/嬉闹”，包含“握拳、喉结滚动”等微动作。
优化前例句	连长在追悼会上大笑：“他解脱了。”
优化后例句	连长的指关节捏得发白，喉结滚了滚，对着墓碑敬了个礼：“你说过想当英雄——今天，你是了。”

3. 细节失真：检查“生活逻辑偏离”

“AI 味儿”的特征体现在场景细节与设定冲突或缺乏真实颗粒感。比如“未来空间站出现柴火炉”，再比如“太空舱内灰尘飞扬”。以“月球基地的不合理细节”为例，将 AI 生成的原始内容上传至 DeepSeek 后，显示检测结果为细节违和感，DeepSeek 建议替换核心元素，见表 4-42。

表4-42 调整细节使其符合逻辑

原始内容概要	宇航员在月球基地用瓷杯喝咖啡，窗外飘着落叶，他靠在木椅上翻纸质书。
提示词示例	生成“2077年月球基地”常识库（含物品、环境、操作规范），标记文本中“与失重环境冲突”的细节。
DeepSeek检测结果	瓷杯：易碎，不符合太空餐具标准；落叶：月球无植物；木椅：超重，占用运输空间。
优化提示词示例	将“月球基地”细节替换为符合“失重+封闭环境”的元素，比如：钛合金吸管杯、人工培育苔藓、电子屏阅读。同时保留“喝咖啡”场景。
优化前例句	用瓷杯喝咖啡，窗外飘着落叶。
优化后例句	钛合金吸管杯吸附在桌面，人工苔藓在培养舱里舒展——他滑动电子屏时，咖啡微滴在失重环境中连成银线。

4. 风格割裂：检查“语言节奏断层”

“AI 味儿”的特征体现为科幻文混入古风词汇或句式冗长。比如“星际战舰挂着青龙旗”。以“科幻文中的风格混乱”为例，将 AI 生成的原始内容上传至 DeepSeek 后，得到的检测结果为“风格割裂”，DeepSeek 建议统一风格词库。见表 4-43。

表4-43 调整风格使其统一

原始内容概要	星际战舰“青龙号”扬起风帆，用乾坤八卦阵定位敌舰，舰长吟唱着“犯我疆域者虽远必诛”，能量护盾在敌军激光炮的轰击下像被针扎的气球一样破了个大洞。
提示词示例	分析第12章“星际作战”场景：①标记“古风词、现代科技词”；②统计句长，拆分连续超30字的长句。
DeepSeek检测结果	风格割裂，比如“青龙号、风帆、乾坤八卦阵”，连续3句长句（平均45字），节奏波动值78%。
优化提示词示例	生成“星际作战”核心词库，禁用“青龙、八卦”等古风词，替换为“星舰、量子定位、能量矩阵”。
优化前例句	青龙号扬起风帆，用八卦阵定位敌舰。
优化后例句	“开拓者号”星舰展开量子定位阵列，舰长沉声下令：“能量护盾过载前，必须摧毁敌舰引擎。”

第5章

网文平台的选择与运营策略

选择合适的网文平台并制订有效的运营策略，是AI写小说从创作走向变现的关键一步。不同平台有其独特的生态规则、用户画像和盈利模式，精准匹配平台特性与作品定位，能让AI创作的内容获得更大曝光。本章将深入拆解主流平台的核心差异，手把手教你从入驻签约到推广运营的全流程技巧，让AI写的小说在网文江湖中站稳脚跟。

5.1 主流网文平台深度剖析

网文平台是连接作品与读者的桥梁，其属性直接决定作品的传播范围与收益潜力。不了解平台规则就盲目投稿，如同在迷雾中航行。本节将外科手术式剖析主流平台的底层逻辑，从用户偏好到流量分配，从分成模式到推荐机制，帮你看清每个平台的“生存法则”，为后续选择提供精准参考。

5.1.1 综合性网文平台

综合性网文平台凭借其庞大的用户基数、丰富的内容品类和成熟的运营体系，成为众多网文作者的首选。以下是对几个具有代表性的综合性网文平台进行深度剖析。

1. 起点中文网

起点中文网适合投稿玄幻、仙侠、都市异能等热血长篇题材，这类作品须具备节奏快、情节冲突强、世界观宏大的特点，能契合 18 ~ 35 岁年轻男性用户的偏好，且优质长篇作品易获得高曝光与稳定收益，如《斗破苍穹》《诡秘之主》均属此类。起点中文网首页如图 5-1 所示，其优 / 劣势见表 5-1。

图5-1　起点中文网首页

表5-1 起点中文网的优势和劣势

类别	优势	劣势
用户偏好	以18～35岁年轻男性为主；热衷于玄幻、仙侠、都市异能等热血题材；付费意愿强、黏性高；对优质长篇作品接受度高。	女性用户占比不足30%；情感细腻类题材受众有限；年轻用户对慢节奏作品耐心较低。
流量分配	总流量行业第一；头部作品可获亿级曝光；通过多渠道分发流量；头部作者收益天花板高。	流量高度集中于头部10%作品；新人作品初期仅能获得“新书池”基础流量；若数据不突出易被埋没；中小作者流量扶持有限。
分成模式	体系成熟；55%订阅分成；千字50～300元全勤奖；打赏55%分成；有“启明星计划”等新人扶持奖金；头部作品可谈保底分成。	全勤奖要求每日更新4000字以上，且金额分段，对新人持续创作压力大；订阅分成比例低于部分新兴平台；版权分成需与平台二次分成。
推荐机制	基于“数据+编辑”双重审核；新书期参考点击、收藏、推荐票数据；后期结合订阅转化率、留存率；机制透明公平；优质作品易突破圈层。	推荐位竞争激烈；新人需经多轮筛选，周期长达3～6个月；冷门题材易被算法忽略。

2. 晋江文学城

晋江文学城以言情、耽美、古代言情等情感细腻类题材为核心，侧重人设塑造与剧情细节打磨，作品需能引发读者深度互动讨论，尤其符合女性用户对细腻情感表达的需求，像《撒野》《知否？知否？应是绿肥红瘦》这类注重情感刻画的作品在此平台表现突出。晋江文学城网站如图 5-2 所示，其优 / 劣势见表 5-2。

图5-2 晋江文学城网站

表5-2 晋江文学城的优势和劣势

类别	优势	劣势
用户偏好	女性用户占比75%；16～40岁为主；偏好言情、耽美、古代言情等情感细腻题材；读者对人设、剧情细节要求高；互动意愿强。	男性向题材生存空间狭小；硬科幻、硬玄幻等类型受众极少；年轻读者对“狗血梗”容忍度低。
流量分配	流量分配相对均衡；中小作者通过“题材标签+读者口碑”可获稳定曝光；长尾作品流量占比达30%（优于多数平台）。	总流量规模仅为起点的60%；头部作品曝光量上限较低；流量过度依赖女性向题材；跨领域推广难度大。
分成模式	版权分成突出（影视、动漫改编分成30%～50%）；订阅分成50%；“营养液”打赏分成作者得80%；适合擅长IP孵化的作者。	全勤奖与VIP收入挂钩，月更10万字（含罚额）基础全勤奖500元，若VIP收入低则实际收益有限；新人单纯靠订阅收益难以维持；版权合作需通过平台审核，自主性弱。
推荐机制	侧重“读者互动数据”（评论量、打分、章节订阅完成率权重高）；小而美作品易通过口碑发酵获得推荐；冷门情感题材有专属流量池。	对“开篇节奏”要求严苛（前5章未引发互动则后续曝光量骤减）；编辑主观判断影响大，部分符合数据的作品可能因风格不符被搁置。

3. 潇湘书院

潇湘书院适合古代言情、穿越重生、宅斗等强情节古风题材，要求作品平衡“爽感”与“情感线”，中长篇篇幅作品更易获得流量倾斜，能精准匹配 20 ～ 35 岁女性用户对古风强情节内容的偏好，《庶女有毒》《神医嫡女》是典型代表。潇湘书院网站如图 5-3 所示，其优 / 劣势见表 5-3。

图5-3　潇湘书院网站

表5-3 潇湘书院的优势和劣势

类别	优势	劣势
用户偏好	聚焦20~35岁女性用户；偏好古代言情、穿越重生、宅斗等强情节题材；读者对“爽感”与“情感线”平衡要求高；付费集中在中长篇。	现代言情、科幻等题材用户基数小；男性读者占比不足10%；题材拓展受限。
流量分配	向“古风强情节”作品倾斜；垂直领域流量密度高；符合调性的作品易获分类首页推荐；中小作者在垂直领域出头机会多。	总流量规模中等；非古风题材流量匮乏；跨题材作品难获全域推荐；流量增长依赖IP改编反哺。
分成模式	“保底分成+版权分成”双轨制；古风头部作者可谈千字300~1000元保底；影视改编分成比例达40%；未上架作品月更6万字得300元，上架后日更4000字可获600元全勤奖。	非古风作品分成比例仅45%（低于行业平均）；打赏分成抽成高（平台得40%）；新人保底签约难度大。
推荐机制	分类推荐机制清晰；古风题材有独立流量池；作品标签匹配度高；垂直领域曝光精准；编辑对古风题材敏感度高，易发掘潜力作品。	推荐资源过度集中于“重生”“宅斗”等热门子题材；其他古风分支曝光不足；跨类别推荐几乎为零。

4. 红袖添香

红袖添香侧重现代都市言情、豪门恩怨、职场情感等现实题材，偏好细腻文笔与传统叙事风格，适合节奏舒缓、侧重生活细节描写的作品，契合25～45岁女性用户对现实题材的需求，《何以笙箫默》《翻译官》均属此类。红袖添香网站如图5-4所示，其优/劣势见表5-4。

图5-4 红袖添香网站

表5-4 红袖添香的优势和劣势

类别	优势	劣势
用户偏好	用户以25～45岁女性为主；偏好现代都市言情、豪门恩怨、职场情感等现实向题材；读者付费能力稳定；对“细腻文笔”要求高。	当前年轻用户（25岁以下）占比仍不足20%；快节奏、轻喜剧题材整体接受度偏低；题材创新空间相对有限。
流量分配	注重“作品完读率”；完结作品仍有稳定长尾流量；现代言情作品在微信读书等渠道的分发占比高；跨平台曝光机会多。	整体流量增长缓慢；新用户获取能力弱；头部作品流量峰值低于晋江；平台内部流量竞争集中在老牌作者。
分成模式	全勤奖体系灵活（免费期月更9万字得200元，上架后月更12万字得600元）；对“断更补更”容忍度高；现实题材版权改编分成比例约50%（优于同类平台）。	订阅分成约50%（行业偏低）；打赏功能使用率低；新人单纯靠订阅收益微薄；依赖版权变现周期长。
推荐机制	侧重“完读率+读者年龄匹配”；现实向作品易获精准推荐；完结作品有专属“精选池”；长尾曝光稳定。	推荐更新频率低（每周一次大推）；新人作品等待推荐周期长；算法对“创新题材”敏感度低；传统套路文更易获得曝光。

5. 创世中文网

创世中文网适合都市、科幻、悬疑等多元化题材，尤其青睐“轻脑洞”“强设定”的中短篇作品，对新人友好且流量分配均衡，能满足男女比例均衡的用户群体需求，《盗墓笔记》《全职高手》这类作品在此平台易获得初始扶持与稳定流量。创世中文网如图 5-5 所示，其优 / 劣势见表 5-5。

图5-5 创世中文网首页

表5-5 创世中文网的优势和劣势

类别	优势	劣势
用户偏好	用户画像均衡，男频作品仍占主流，女性用户主要集中于都市、言情类；18～40岁为主；偏好都市、科幻、悬疑等多元化题材；对“轻脑洞”“强设定”作品接受度高；付费意愿中等。	用户黏性低于起点中文网；对超长篇（百万字以上）追读耐心不足；核心题材不够突出。
流量分配	分配相对均衡；新人作品可获“潜力池”扶持（日均曝光1万～3万）；非头部作品流量占比达40%；中小作者生存空间优于起点中文网。	总流量规模仅为起点的50%；头部作品曝光上限低；平台流量商业化开发能力弱（如IP改编较少）。
分成模式	“订阅分成55%+保底分成”并行；新人可申请“千字100～300元保底”（门槛低于起点中文网）；全勤奖无断更惩罚（月更12万字得600元）；对新人友好。	版权分成比例偏低（约50%）；IP孵化资源稀少；打赏功能使用率较低；非头部作者额外收益极有限。
推荐机制	兼顾“数据”与“潜力”；新人作品前30章数据权重低；编辑可手动纳入“扶持池”；冷门类科幻、悬疑题材有专项推荐。	算法精准度不足（推荐流量与作品匹配度低）；头部推荐资源少；优质作品难突破流量瓶颈（曝光上限有限）。

5.1.2 特色化网文平台

特色化平台如同垂直领域的主题乐园，虽用户基数不及综合平台，却有着极高的用户黏性和精准的需求匹配。免费阅读、二次元文化等细分赛道的平台，正成为AI创作的新蓝海。本节解析番茄小说、刺猬猫等特色平台的生存逻辑，教你利用其规则放大作品优势，在细分市场抢占先机。

1. 番茄小说（免费阅读赛道标杆）

适合投稿“现实痛点 + 超现实金手指”的脑洞奇幻、年代文、都市逆袭等快节奏题材，这类作品需在开篇快速设置冲突，兼顾爽感与生活化元素。例如《开局地摊卖大力》以都市底层逆袭为背景，融入“大力药水”金手指，贴合下沉市场用户对爽文的需求，长期占据平台免费阅读榜单前列；《万族之劫》凭借玄幻背景下的种族竞争与主角快速成长线，以高完读率成为平台流量标杆。番茄小说网站如图5-6所示，其优 / 劣势见表5-6。

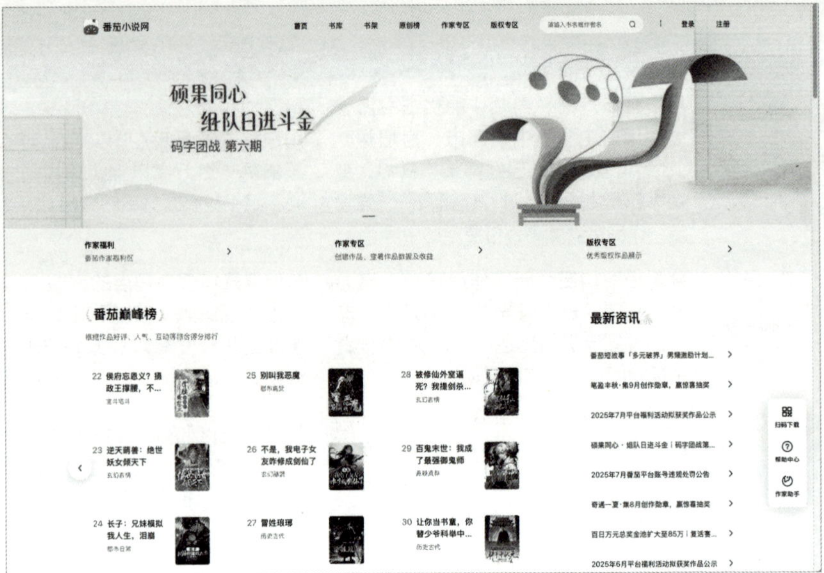

图5-6 番茄小说网站

表5-6 番茄小说的优势和劣势

类别	优势	劣势
用户偏好	以18～35岁下沉市场用户为主；热衷“现实痛点+超现实金手指”创新题材（如环保+直播+商战组合）；对脑洞奇幻、年代文等新兴题材接受度高；完读率超35%广告分成可达0.8元/千字。	用户对慢节奏、深度文学作品普遍耐心不足；女性用户占比已超60%，但男性付费转化率更高，导致情感细腻类题材受众仍有限。
流量分配	采用五级流量池算法（动态调整推荐权重）；头部作品可获日均百万级曝光；可通过抖音红果短剧等渠道破圈传播。	流量集中于“番茄风”套路文；新人作品需首10章完读率≥35%晋级。
分成模式	广告分成70%（完读率+5%单价上浮0.2元/千字）；全勤奖高激励（月更10万+完读率≥40%得2000元）；星火计划奖励Top100作品（最高10万元/月）。	收入依赖高强度更新（日更6000字以上）；独家签约需授权衍生权，非独家可保留，作者难以自主开发衍生权益。
推荐机制	核心指标权重明确：完读率（40%）>留存率（30%）>互动率（20%）>更新（10%）；“相似读者扩散”模型精准推送；“脑洞创意大赛”提供首页强推位。	冷门题材易被算法过滤；算法推荐为主，编辑干预极少。

2. 刺猬猫（二次元内容高地）

聚焦二次元题材，适合“综漫同人”“轻小说风格 + 搞笑吐槽”“系统流二次元”等类型，需融入动漫梗、角色互动等核心元素。如《轮回乐园》以多个动漫世界穿梭为框架，融合热血战斗与吐槽风格，精准匹配平台 16 ~ 28 岁二次元用户偏好，长期稳居人气榜榜首;《我在异界搞基建》将系统流与轻小说叙事结合，通过基建升级剧情引发大量用户互动，获得推荐位倾斜。刺猬猫网站如图 5-7 所示，其优 / 劣势见表 5-7。

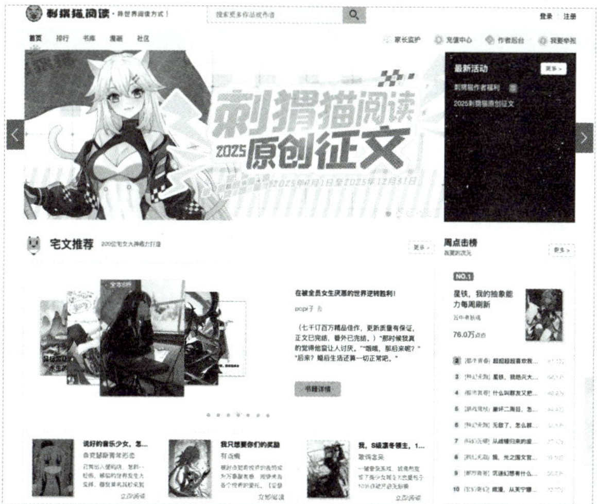

图5-7　刺猬猫网站

表5-7 刺猬猫的优势和劣势

类别	优势	劣势
用户偏好	16 ~ 28岁二次元核心用户占比超75%；偏好“综漫+系统”“日轻风格+搞笑吐槽”等题材；对小众题材包容性强（克苏鲁、蒸汽朋克等冷门类型有稳定受众）。	男性向硬核题材科幻/机甲占比＜5%，男性偏好“后宫/无敌流”；对“非二次元”内容容忍度低。
流量分配	设置20+细分标签独立流量池（如综漫同人/原创轻小说）；评论区“催更”“玩梗”等互动行为可提升推荐权重；完结作品通过“经典文库”获长尾流量（如《魔王学院》完结2年月均10万+阅读）。	总流量规模较小：付费用户约10万 ~ 15万人，头部作品曝光量低于起点；新人突围难度大：签约从D级起步收入低，平台主动分配资源少；跨领域推广弱：非二次元类型（如硬核科幻）几乎无法获得推荐；推荐机制局限：算法对长期连载质量稳定性要求高，中后期发力作品易错失机会。

续表

类别	优势	劣势
分成模式	订阅分成60%（首订破千额外5000元奖金）；“猫粮”打赏作者分得80%；动漫改编分成比例达30%（如《我家大师兄》作者获百万收益）。	全勤奖门槛高（D级月更12万字得240元，A级得960元）；更新频率要求严格（日均4000字）。
推荐机制	核心指标权重：追读率（35%）>付费率（30%）>弹幕量（25%）>更新率（10%）；“角色情感共鸣”模型精准推送；每周“二次元创意工坊”提供“看板娘”推荐位。	编辑干预需符合平台二次元审美标准（可能限制创作自由）。

3. 飞卢小说网（快节奏创作圣地）

主打“系统文 + 高频反转”“无限流 + 快节奏升级”的强爽感题材，要求每章包含三个以上爆点，日更万字以上更易突围。例如，《亏成首富从游戏开始》以“反向系统”为核心，每章充满商业反转笑点，创下平台首订破万的新人纪录；《全球高武》凭借“武道复苏”设定与密集的战斗升级剧情，长期霸榜订阅榜，符合男性用户对高密度冲突的偏好。飞卢小说网如图 5-8 所示，其优 / 劣势见表 5-8。

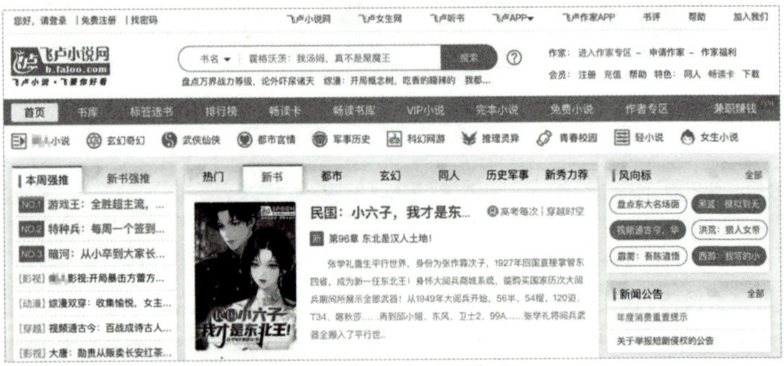

图5-8　飞卢小说网首页

表5-8 飞卢小说网的优势和劣势

类别	优势	劣势
用户偏好	10~30岁男性用户占比90%；热衷“系统文+高频率反转”“无限流+快节奏升级”等题材；对更新速度容忍度高（日均1万字更新仍能保持留存）。	对文笔要求较低；深度叙事作品难以获得流量。

续表

类别	优势	劣势
流量分配	实时更新的“订阅榜”“打赏榜”直接决定推荐位（头部作品每小时更新榜单）；新书上架首日更10章+可触发“新人爆发池”（日均5万+曝光）。	流量高度集中于头部：80%流量被榜单前50名占据，新人作品首周后若首订未破千则流量骤减；非热门题材流量匮乏：严重倾斜“系统文/无限流”，历史/科幻等小众题材难获推荐；新人扶持不足：仅3天“新书池”基础曝光，首章付费率＜1%则后续无主动流量。
分成模式	独家签约作品分成70%；全勤奖高激励（VIP全勤奖月更30万字得2000元，非VIP月更18万字得200元）；打赏分成55%且“盟主”可解锁定制剧情。	版权归属平台；题材限制严格（禁止政治、灵异等敏感内容）。
推荐机制	核心指标权重：首章付费率（40%）＞订阅完成率（30%）＞追读率（20%）＞更新速度（10%）；“爽点密度检测”模型优先推荐高冲突作品；“飞卢杯”大赛提供至尊推荐位。	需通过“爽感指数”评估（限制创作多样性）；过度侧重首章数据导致慢热作品被埋没。

4. 黑岩网（悬疑 IP 孵化基地）

擅长“第一人称悬疑”“现实向罪案”“民俗灵异”等题材，作品需注重悬念设置与逻辑严谨性，短篇小说更易获得 IP 改编机会。如《民调局异闻录》以第一人称讲述超自然事件调查故事，融合民俗传说与悬疑推理，成为平台影视化改编的标杆；《鬼吹灯之黄皮子坟》（黑岩连载版）通过盗墓题材的沉浸式叙事，长期占据悬疑频道的热门推荐位。黑岩网如图 5-9 所示，其优 / 劣势见表 5-9。

图5-9 黑岩网首页

表5-9 黑岩网的优势和劣势

类别	优势	劣势
用户偏好	25～45岁成熟用户占比60%；偏好“第一人称悬疑”“现实向罪案”等题材；对“生活化悬疑”接受度高；短篇IP改编潜力大。	题材单一，非悬疑类作品往往难以获得稳定流量。
流量分配	设置“灵异怪谈”“罪案实录”等细分频道独立流量池；IP潜力作品可获“IP孵化池”推荐；短篇作品通过“故事会小程序矩阵”跨平台分发（抖音/快手）。	垂类依赖严重：流量集中于悬疑/灵异题材，占比超60%，历史/都市等非核心品类几乎无推荐；短期爆款导向：过度倾向“强钩子”开篇，中后期扎实但开篇平淡的作品易被埋没。
分成模式	订阅分成60%（签约作者）；影视改编分成比例达40%；短篇激励（阅读量破10万奖2000元+短剧改编奖5000元）；IP分成（影视化后作者获5%票房/播放量收益）。	全勤奖较低（按均订分档，月更8万字收入160～960元）；对作品现实批判力度有限制。
推荐机制	核心指标权重：悬念密度（35%）>逻辑严谨性（30%）>读者互动（25%）>更新（10%）；“悬念钩子检测”模型优先推荐高谜题作品；每周“悬疑实验室”提供“黑岩剧场”推荐位。	需通过编辑“烧脑指数”评估（限制创作自由）；过度侧重悬念密度导致慢热作品被埋没。

5. 咪咕文学（“网文＋短剧”融合平台）

适合“强画面感＋影视化适配”的古风权谋、都市情感、轻科幻等题材，作品须具备清晰的场景冲突与角色弧光，便于短剧改编。例如《庆余年》（咪咕独家连载版）以古风权谋与穿越元素为核心，因强情节和镜头感被改编为爆款网剧，在平台获得跨媒介流量扶持。《长安十二时辰》凭借紧凑的悬疑剧情与细腻的场景描写，成为“网文＋短剧”联动的典型案例，长期占据平台影视化潜力榜前列。咪咕文学网站如图5-10所示，其优/劣势见表5-10。

图5-10 咪咕文学网站

表5-10 咪咕文学的优势和劣势

类别	优势	劣势
用户偏好	对“短剧向”内容扶持力度大，改编成功率高。	对纯文学性作品接受度低，用户付费意愿较弱。
流量分配	跨媒介分发能力：作品同步在咪咕阅读、视频号等渠道分发；IP孵化池：提供“短剧预制作”资源；政企合作：定制作品获定向流量扶持。	流量过度依赖母公司渠道（70%+来自中国移动自有渠道），外部引流能力弱；头部作品虹吸效应显著（Top10占60%流量）；题材分配失衡（古风/都市占80%推荐位），小众题材难获推荐。
分成模式	影视改编分成比例高，30%～50%（头部IP可达50%）；短剧奖励：每集5000元剧本费；政企定制稿酬高（10万～50万元）。	全勤奖较低（月更10万字仅得600～1200元，且分阶梯），且对价值观导向要求异常严格。
推荐机制	算法聚焦影视化潜力（画面感/冲突密度）；编辑干预提供“咪咕剧场”推荐位。	非影视化作品（如纯文学/慢节奏）推荐资源极少。

5.2 平台入驻与运营要点

选对平台只是第一步，能否顺利入驻并持续运营，决定着作品的生命周期。从投稿格式到签约条款，从数据维护到粉丝互动，每个环节都藏着影响成败的细节。本节将把平台运营拆解为可操作的步骤，结合 AI 创作的特性，给出针对性策略，让你少走弯路，高效推进作品变现。

5.2.1 投稿与签约策略

投稿是作品与平台的第一次“见面”，签约则是双方合作的法律基础。AI 创作的小说在投稿时需突出哪些亮点？不同平台的签约合同有哪些隐藏的陷阱？本节提供从稿件准备、审核偏好到合同条款解读的全流程攻略，帮你用 AI 写的作品敲开平台大门，同时保障自身权益。

第一步，以四个热门网文平台为例，可以列出五维速查表来进行筛选，见表5-11。

表5-11 五维速查表

维度	起点	晋江	番茄	刺猬猫
受众画像	18～35岁男频为主	18～30岁女频为主	全性别下沉市场	二次元+轻小说
主打题材	玄幻/科幻/都市升级	言情/纯爱/无CP	爽点密集无限风	同人/脑洞/玩梗
签约门槛	正文6千+大纲3千	1万字正文+情感塑造	2万字即可申签	3万字+500收藏
编辑最在意的3个关键词	金手指/首杀/升级体系	CP张力/文案钩子/修罗场	节奏快/爆点密集/日更4000字	玩梗/吐槽/角色反差
合同风险Top1	20年全版权	10年全版权+笔名锁	全勤奖分阶梯，断更后流量池等级下降	同人版权不清

第二步，将表5-11上传至DeepSeek后输入相应提示词。

提示词示例：你是一名资深网文经纪人，请根据表格为以下作品选首发和二发平台，要求收益最大化。作品：都市修真+直播+女主无CP，轻吐槽文风，首卷6万字。

DeepSeek输出：

首发：晋江（女强无CP+轻吐槽稀缺，签约率25%，可冲金榜）

二发：刺猬猫（同人流量池大，可改男主视角进行二次创作）

保底：番茄（改爽文节奏，日更4k，拿满全勤）

第三步，选择好对应平台之后到该平台进行投稿签约，起点中文网投稿要求见表5-12；晋江文学城投稿要求见表5-13；番茄小说投稿要求见表5-14；刺猬猫投稿要求见表5-15。

表5-12 起点中文网投稿要求

起点中文网		
稿件准备	字数与内容	需提交3万字正文+完整大纲，直发（系统自动审核）需满5万字后进入交叉审核流程。
	章节标题格式	统一为“第×章标题内容”，禁用特殊符号（如★、【】）。
	正文格式	对话单独成段、段落分明即可。
	大纲结构	按“卷-章-节”三级结构撰写。
	文件格式	仅限Word或纯文本，也可直接复制粘贴至后台编辑框。

续表

起点中文网		
审核偏好	开篇与数据	前3章需埋设核心矛盾；首周点击量低于5000可能被判定为“数据不佳”，实际因题材、时期不同而动态调整。
	题材适配性	历史、玄幻等大类更易获推荐；冷门题材需通过“潜力评估”进入扶持计划，冷门题材需依赖“收藏、订阅转化率”等数据进入扶持。
合同条款	签书模式	单本签约，全版权授权期限为作品完本后20年左右，衍生开发收益另行协商。
	分成与福利	VIP订阅收入5:5分成，均订过千后收益显著提升；2025年新增“中下层作者扶持计划”：稿费未达5000元时平台补足差额。
	风险提示	全版权授权+高违约金；解约需支付已获收益3倍或10万元（取高者）。

表5-13 晋江文学城投稿要求

晋江文学城		
稿件准备	字数与内容	申签需发布1万字正文+简纲需“起承转合”4段，约300字，同步上传封面（尺寸200×280像素）。
	章节标题格式	禁用无意义字符（如★、【】），允许英文/拼音。
	正文格式	无强制字体/字号要求，仅需排版清晰，对话格式无统一规定。
	简纲格式	需按“起承转合”分4段。
	封面要求	尺寸为200×280像素。
审核偏好	内容侧重	文笔+人设优先，侧重人物情感细腻度与剧情创新性，拒绝“套路化”言情。
	数据门槛	晋江审核期间不看收藏数，编辑仅评估“书名、文案、前三章是否符合平台调性”，收藏数是入VIP标准。
合同条款	签人模式	5年独家授权，禁止多平台发布，年更新量需≥20万字。
	收益与福利	VIP订阅收入：手机端5:5分成，电脑端4:6；全勤奖：为上月VIP收入的5%～15%，日更3000字可获“小粉花”奖励。
	风险提示	签约到期默认自动续期，解约需支付已获收益3倍违约金。

表5-14 番茄小说投稿要求

番茄小说		
稿件准备	字数与内容	需发布2万字正文，无须大纲，但需填写“故事亮点”和“目标读者”。
	章节标题格式	第×章×××××。
	正文格式	推荐宋体小四，排版清晰，适配手机阅读。
	对话格式	无强制对话格式或占比要求。
审核偏好	钩子与完读率	前三章需埋设“金手指”或“身份反转”，首章完读率<25%失去“首秀流量资格”。
	题材适配性	都市、脑洞奇幻类更易获推荐；小众题材需依赖“星火计划”扶持。
合同条款	签书模式	全版权授权至2045年，衍生开发收益“平台主导分成”。
	收益与福利	广告分成占比50%，日更4000字+听读≥500元得600+5%听读收入（上限1500元）；日更6000字得800+5%听读收入（上限2000元）。
	风险提示	断更超15天永久失去福利资格，违约金为10万元或50%合同金额取高。

表5-15 刺猬猫投稿要求

刺猬猫		
稿件准备	字数与内容	常规投稿需2万～3万字正文+大纲，仅特殊征文需发布1万字正文，但完本需要80万字。题材需含ACG（Anime动画、Comic漫画、Game游戏的缩写）元素，需从平台ACG标签库选择标签。
	章节标题格式	可用“第×话·标题”或日式格式，允许含日语词汇。
	正文格式	无强制字体、字号，要求圆体四号字，允许使用颜文字和表情包（每章≤5处）。
	宅向标签	从平台ACG标签库中选择，需要勾选多个。
审核偏好	风格侧重	动漫质感+轻松风格：侧重剧情“弹幕互动性”，拒绝严肃文学。
	数据即时反馈	审核侧重标题、文案、前三章是否符合二次元调性。

续表

刺猬猫		
合同条款	签书模式	合同为签书不签人，授权至作品版权保护期，衍生开发收益6:4分成（作者60%）。
	收益与福利	订阅打赏6:4分成；渠道收入5:5分成；刀片道具最高作者可拿80%；全勤奖：签约当月起按千字2～8元发放，30万字封顶。
	风险提示	注册后30天内未发布或清空作品，账号将被删除。

5.2.2 作品推广与“粉丝”运营

酒香也怕巷子深，即便是AI写出的优质小说，也需要主动推广和“粉丝”维护。平台内的推荐位争夺、社交媒体的流量引流、粉丝社群的黏性培养，构成了作品“破圈”的三大支柱。本节结合不同平台的算法规则，教你用AI辅助生成推广素材，设计互动活动，让作品曝光量和粉丝忠诚度双双提升。

1. 抖音/小红书“3镜头爽点剪辑”

目标为15秒完播率≥65%，点赞率≥8%，导流点击率>3%。

第一步，使用DeepSeek选台词。

在提示词框中输入示例提示词，并上传附件，如图5-11所示，DeepSeek将输出适配短视频的“钩子—反转—引导”三段式台词。

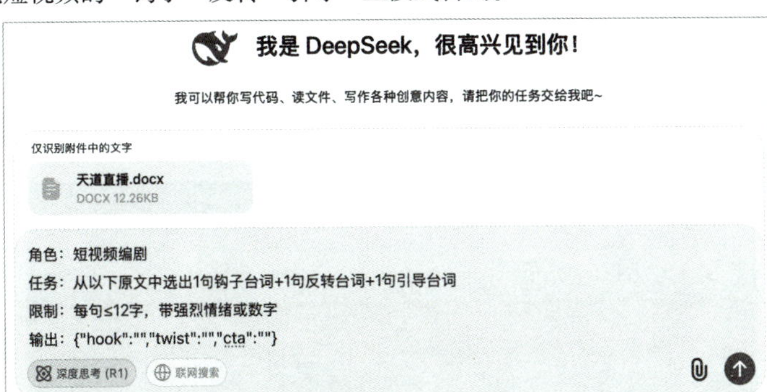

图5-11 在DeepSeek中输入相关内容

DeepSeek输出：

{“hook”：丹田被毁（核心钩子，前3秒抓注意力）。“twist”：999级火箭砸混沌灵根（剧情反转点，强化爽感）。“cta”：点主页看全文（引导动作，促进行为转化）。}

第二步，使用豆包生成字幕。

在豆包对话框中输入示例提示词，如图 5-12 所示，豆包将输出优化后的字幕，如图 5-13 所示。

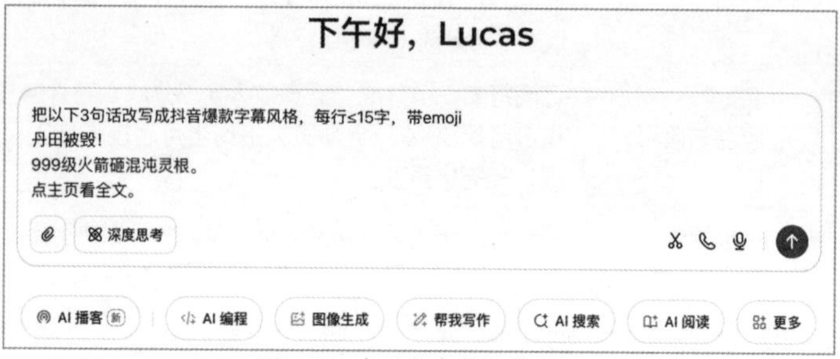

图5-12　在豆包中输入提示词

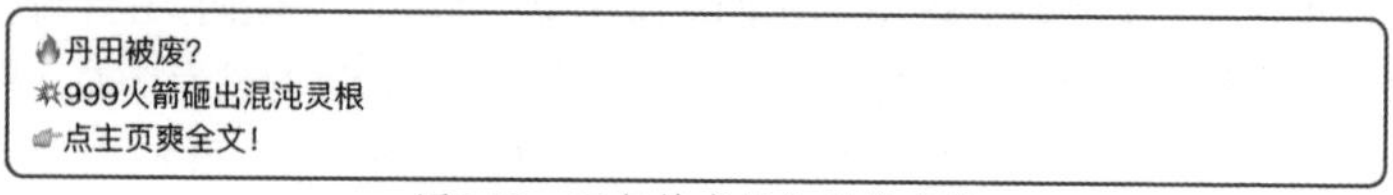

图5-13　豆包输出优化后的字幕

第三步，使用即梦 AI 生成场景立绘。

在即梦对话框中输入示例提示词，如图 5-14 所示。

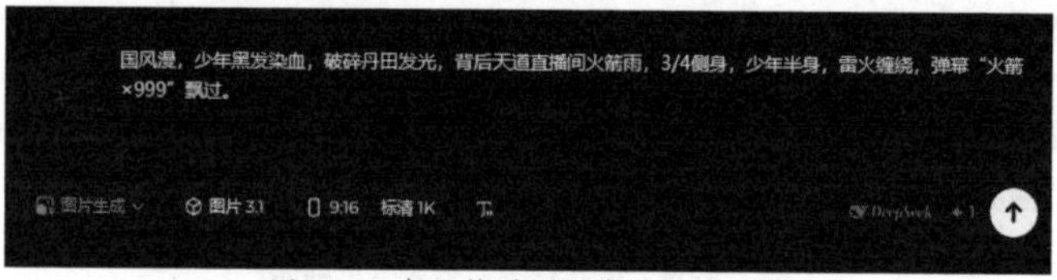

图5-14　在即梦对话框中输入提示词

即梦返回 4 张竖图，如图 5-15 所示。选择第 2 张：少年半身，雷火缠绕，弹幕"火箭 ×999"飘过。

图5-15　即梦生成的图片

第四步，使用即梦 AI 生成视频。

打开选中的图片，将图片生成视频，如图 5-16 和图 5-17 所示。

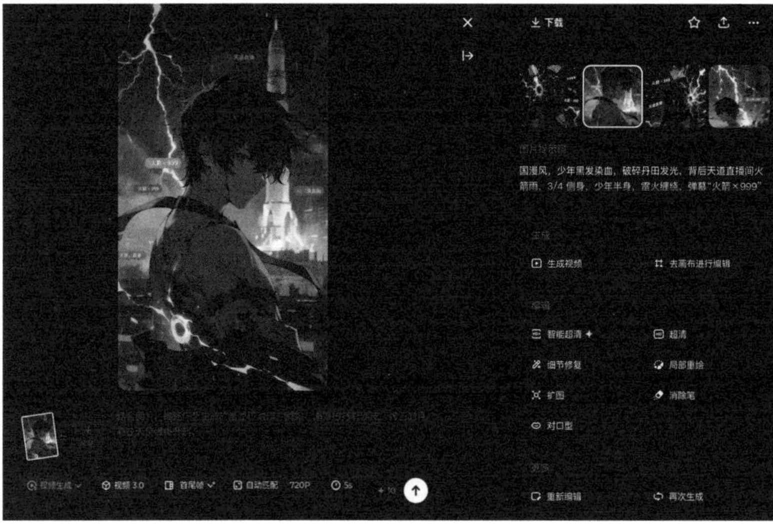

图5-16　选中用来生成视频的图片

图5-17　在即梦中预览生成的视频

第五步，使用剪映配音。

在剪映中打开生成的视频，添加豆包生成的字幕，BGM 选择当前潮流音乐的高潮部分，完成后效果如图 5-18 所示。

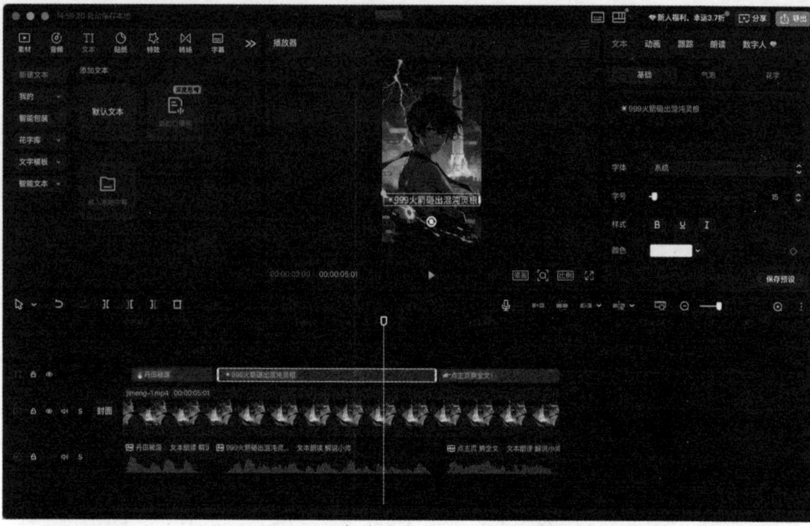

图5-18　在剪映中处理生成的视频

第六步，使用 Kimi 生成短链。

在 Kimi 对话框中输入示例提示词，如图 5-19 所示。

图5-19　在Kimi对话框中输入提示词

Kimi 输出：

短链已生成：t66k8q

（24 小时后自动失效，点击即可跳转《天道直播》第 1 章）

最后将短链“全文免费阅读→ t66k8q”放在抖音视频评论区置顶即可。

2. 微博热搜与话题“周历打法”

为持续营造话题热度、精准触达兴趣点不同的用户，微博热搜与话题可采用“周历打法”，围绕作品核心看点，在一周内不同日期设置针对性话题，具体安排见表 5-16。

表5-16 微博话题打法

周一话题	#今日修罗场#
周三话题	#战力排行榜#
周五话题	#爽文名场面#
周日话题	#二次元梗图大赛#

以周一话题“# 今日修罗场 #”为例。

第一步，使用豆包生成博文内容。

在豆包对话框中输入提示词，如图 5-20 所示。豆包输出如图 5-21 所示。

图5-20　在豆包对话框中输入要求

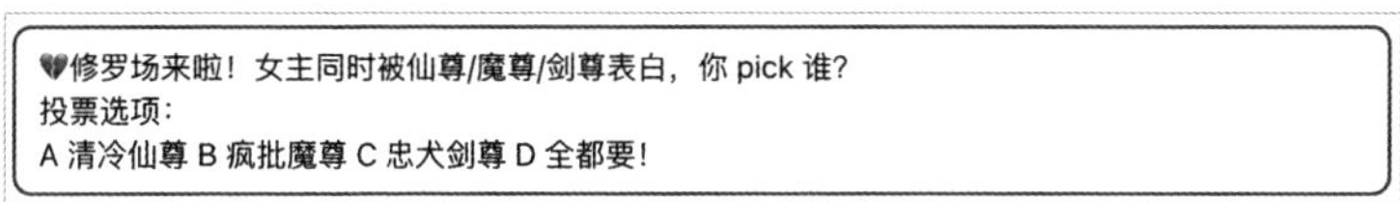

图5-21　豆包生成的内容

第二步，使用 DeepSeek 预测热度。

在 DeepSeek 中输入提示词进行热度预测，示例提示词如图 5-22 所示。DeepSeek 输出的文字如图 5-23 所示。

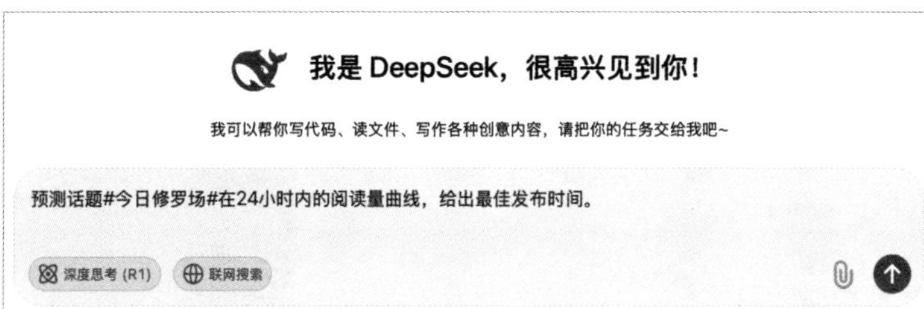

图5-22　在DeepSeek对话框中输入需求

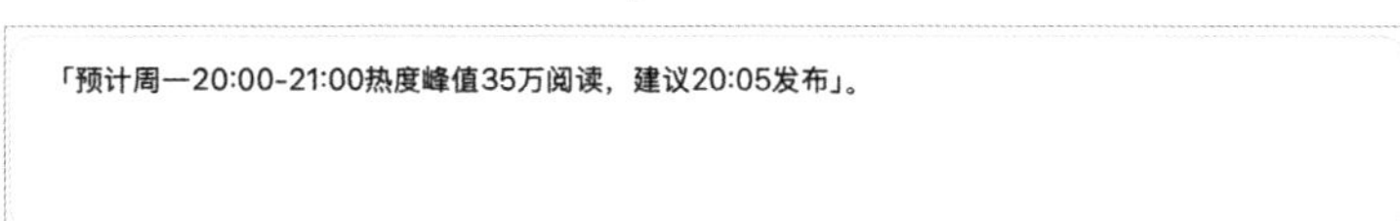

图5-23　DeepSeek生成的内容

第三步，微博设置投票。

打开微博 App，登录账号后点击右上角“+”号，选择“写微博”进入编辑界面，如图 5-24 所示。在编辑框下方的工具栏中，点击“+”号，弹出功能菜单后选择“投票”选项，如图 5-25 所示。

接下来填写投票标题，在顶部输入框撰写投票主题，例如：“女主被三位大佬表白，你 pick 谁？”建议控制在 20 字以内。接着添加投票选项：点击“选项 1”输入第一个选项，如“清冷仙尊”，默认支持 2 ~ 4 个选项，点击“+”可扩展至最多 10 个选项，如图 5-26 所示。最后，设置投票时间，手机端默认提供一小时、一天、三天、一周四个选项，如图 5-27 所示。网页版可点击“自定义”精确设置截止时间。

完成设置后，检查投票标题、选项、时间等设置无误后，点击右上角“发布”按钮，投票将同步显示在微博正文和个人主页。

发布后可点击投票卡片查看实时数据，投票结束后微博会自动生成结果报告，支持导出分享。

图5-24　微博App发微博页面

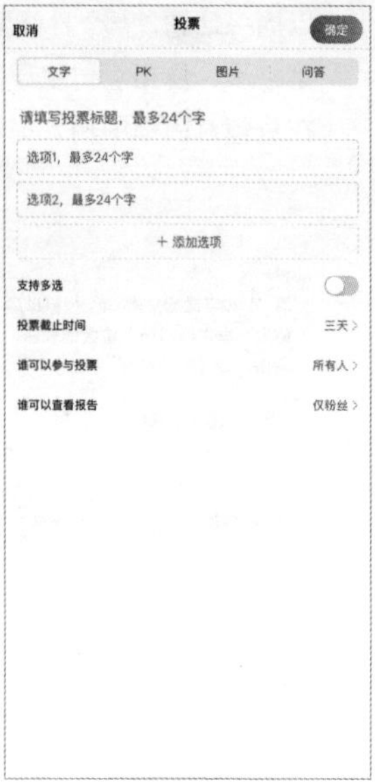

图5-25　微博App编辑投票页面

图5-26　微博App投票详情页面

图5-27　微博App投票时间设置

第 6 章

AI 网文创作的法律与版权问题

当 AI 写作工具能在十分钟内生成万字章节，当“一键续写”“智能扩写”成为网文作者的日常，法律与版权的边界正被悄然重塑。看似便捷的创作背后，藏着诸多待解的难题：你敲出的提示词能否为 AI 生成的内容确权？平台协议里的版权条款藏着哪些陷阱？未经授权的训练数据会不会让你的作品沦为侵权工具？本章将拨开 AI 创作的法律迷雾，从现行规则到实务方案，从版权归属到维权路径，为你提供一套可落地的合规指南。毕竟，真正的创作自由，永远建立在对规则的清醒认知之上。

6.1 AI创作的法律与版权知识

在 AI 写作工具快速普及的今天，“用 AI 写的小说到底是谁的作品？”“万一 AI 生成内容撞了别人的情节，算谁的责任？”这些问题不再是遥远的理论探讨，而是每个创作者都可能面对的现实难题。

现行法律对 AI 创作的规定尚在动态完善中，从《中华人民共和国著作权法》对“人类智力成果”的核心要求，到各地法院的判例探索，再到已正式实施的 AI 内容标识新规，一系列规则正逐步勾勒出 AI 创作的法律边界。

本节将梳理全球及我国关于 AI 创作的现行法律框架，拆解版权归属的争议焦点，让你明白哪些情况下 AI 生成的内容受法律保护，哪些行为可能踩中侵权红线。毕竟，创作的底气源于对规则的清晰认知。

6.1.1 现行法律对AI创作的规定

理解 AI 创作的法律边界，离不开具体法条的支撑。这些条文看似抽象，却直接回答了创作者最关心的问题：谁有资格成为 AI 作品的权利主体？训练数据的使用需遵循哪些原则？平台对 AI 内容的合法性该承担什么责任？以下三条核心法条，正是拆解这些问题的钥匙，为 AI 创作的合规性提供了明确的法律依据。

●法条速查 1

《中华人民共和国著作权法》（2020 年修正版）。

第二条：著作权人包括“中国公民、法人或者非法人组织”。

第十一条：创作作品的自然人为作者；由法人或者非法人组织主持，代表其意志创作，并由其承担责任的作品，法人或者非法人组织视为作者。

●法条速查 2

《中华人民共和国民法典》第一百二十七条：法律对数据、网络虚拟财产的保护有规定的，依照其规定。

该条为数据与虚拟财产保护提供框架性法律依据，但并未直接赋予“数据财产权”。

●法条速查 3

《生成式人工智能服务管理暂行办法》（国家网信办等七部门令第 15 号，自 2023 年 8 月 15 日起施行）。

第七条第一款：生成式人工智能服务提供者应当对预训练数据、优化训练数据的合法来源负责，不得侵害他人知识产权或其他合法权益。

1. 中国法律体系对 AI 创作规定的逐条拆解

中国法律体系对 AI 创作的规制需从核心命题逐步展开，逐步搭建 AI 创作的规则框架。以下结合司法与行政实践展开分析。

（1）主体资格：AI不是人

主体资格是AI创作法律认定的根基性问题。司法与行政层面的实践，正逐步厘清“AI能否成为法律意义上的创作者”以及人类劳动对AI生成内容“独创性”的影响边界。以下通过典型案例与规定展开分析。

●司法确认

2019年12月北京互联网法院“菲林诉百度案”（案号〔2019〕京0491民初23824号），法院认为：纯由AI自动生成、缺乏人类独创性参与的分析报告，不构成《著作权法》意义上的作品。

2023年11月27日北京互联网法院“AI文生图”案（〔2023〕京0491民初11279号），法院认为：提示词设计、参数调优及后期筛选体现人类智力创作劳动，生成图片具备独创性并可获得著作权保护。

●行政确认

国家版权局2023年发布的《关于规范AI生成内容版权登记的通知》明确要求：AI生成内容的版权登记申请人必须是“对内容作出实质性贡献的自然人或法人”，强调人类对AI生成过程的创造性投入（如提示词设计、参数调整、后期筛选等）是版权归属的核心依据。该规则已在司法实践中落地（如2023年北京互联网法院“AI文生图”案），并成为AI创作版权登记的操作指引。

（2）客体范围：哪些AI输出可受保护

明确主体后，“客体范围”聚焦AI生成内容能否成为受保护的作品。不同类型的AI输出（文字作品、美术作品、视听作品等），因创作方式与人类参与度的差异，版权保护的认定标准各有侧重，司法实践也形成了具有针对性的判断规则。

●文字作品

长篇小说、短篇故事、对话脚本：若提示词复杂、迭代次数多、后期人工润色比例≥20%，法院倾向于保护（上海知识产权法院2024年判决）。

●美术作品

单幅插画：提示词≥150字、参数≥10项、后期PS图层≥5层，可认定独创性（深圳中院2024年判决）。

●视听作品

AI辅助动画短片：需人类完成分镜、剪辑、配乐。AI仅承担中间帧生成，整体可登记为“视听作品”。

（3）训练数据合法性

AI创作的源头——训练数据的合法性，是产业合规的核心关切。“未经授权使用他人作品训练AI”，既涉及《著作权法》“合理使用”的边界，也关乎司法实践的最新态度与行业合规指引的方向。

●合理使用条款

《中华人民共和国著作权法》第二十四条第（十三）项兜底条款：国务院所属机构可另行规定“其他情形”。截至目前，尚未出台针对AI训练的专门例外规定。

●合规指引

中国电子商会《生成式人工智能数据应用合规指南》：业内指引建议采用“开放许可数据（如CC-BY-SA、MIT、Apache 2.0）+付费语料库+自建版权库”的组合方式，以降低侵权风险。

（4）平台责任

当AI生成的内容进入传播环节，平台作为中间载体，其法律责任的界定至关重要。“通知—删除”规则与平台的“合理注意义务”构成了平衡权利保护与平台责任的核心框架，典型案例也进一步明晰了实践标准。

●通知—删除规则

《信息网络传播权保护条例》第十四条至第十七条规定，网络服务提供者接到权利人有效通知后，应立即删除或断开链接，并提供反通知恢复机制。

●平台注意义务

广州互联网法院AIGC侵权案（2023）确认平台未尽到合理注意义务，需对生成的侵权内容承担责任。法院强调，平台需采取合理技术措施避免出现明显侵权情形。公开判决显示，赔偿金额约为1万元。

2. 域外主要法域对照表

为更全面地呈现AI创作相关版权规则的全球差异，明晰不同法域的立法与实践倾向，以下对美国、欧盟、英国、日本等主要法域，在“AI是否可作为作者”“人类最低贡献标准”等核心问题上的规定展开对照，具体内容见表6-1。

表6-1 不同国家和地区对AI创作相关版权规则比较

国家	是否承认AI为作者	人类最低贡献标准	保护期	训练数据例外	主要案例/指引
美国	否	人类需“控制输出表达”	作者终身+70年	无专门例外	Thaler v.Perlmutter（2025），明确要求人类创作。
欧盟	否	需“作者原创选择”	作者终身+70年	无	Infopaq，Painer判例确立原创性要求。
英国	是（计算机生成作品）	无明确阈值	自创作完成起50年	有文本数据挖掘（TDM）例外（CDPA 1988 s.29A）	CDPA9（3），duration；英国政府正进行AI-版权公共咨询。

续表

国家	是否承认AI为作者	人类最低贡献标准	保护期	训练数据例外	主要案例/指引
日本	否	人类需“创造性贡献”	作者终身+70年	TDM例外（著作权法第30条之4）	日本文化厅正进行相关释法讨论
韩国	否	人类需“主导创作”	作者终身+70年	无	韩国文化/创作部门发布AI创作讨论材料
新加坡	否	人类需“原创表达”	作者终身+70年	TDM例外（版权法2021修订）	2023年IPOS《AI版权实践指引》

3. 国际公约与软法文件

在 AI 创作这类新兴领域，硬法尚未完全覆盖时，软法常成为规范行为的“过渡指南”，部分平台 AI 内容的使用准则在实践中影响着创作者的权利边界。

WIPO（World Intellectual Property Organization，世界知识产权组织）于 2024 年发布的《知识产权政策工具包》（IP Policy Toolkit）提出，应识别 AI 辅创作中谁做出了创造性贡献，并建议记录与披露人类在 AI 辅助下的创作流程，尽管其并未制定具体“显著贡献”的量化标准。

《TRIPS 协定》第九条第二款明确，版权保护仅及于“具体表达”，不涵盖思想、程序、操作方法或数学概念本身。该条款为国际所普遍接受，用于解释为何 AI 算法本身不受版权保护。

案例分析：

案名：Thaler v.Perlmutter（美国哥伦比亚特区联邦地区法院，2023 年 8 月 18 日）。

案情：Stephen Thaler 将其 AI 系统 DABUS 创作的绘画《A Recent Entrance to Paradise》向美国版权局申请登记，署名“DABUS”。

判决原文要点（全部摘自法院公开意见）：

“Human authorship is a bedrock requirement of copyright.”（人类作者是版权的根基要求。）

“The Act’s term ‘author’ excludes non-humans.”（《版权法》中的“作者”一词不包括非人类。）

“A work generated entirely by an AI system without any human creative input is not copyrightable.”（完全由 AI 生成且无任何人类创造性投入的作品不受版权保护。）

此案后，美国版权局以指引形式明确 AI 生成作品的登记标准，倒逼平台建立强制披露机制，推动行业从 AI 创作权利归属模糊的状态，转向需明确标识人类创作部分，权利边界更清晰的规范化运作阶段，为全球网文平台处理 AI 内容提供了可参照的实操框架。

美国版权局随后在 2023 年发布《AI 生成作品注册指引》，要求申请人必须披露人类创作部分，并填写人类作者姓名，否则将不予登记。

6.1.2 AI创作版权归属的争议与解决方案

AI 创作的版权归属如同待解的复杂方程式，人类创意与 AI 工具的边界在哪里？训练数据的版权迷雾如何拨开？跨国确权又有哪些隐性壁垒？本节聚焦这些核心争议，拆解全球实践中的分歧，并呈现行业通过合同、技术与规则构建的平衡方案。

1. 争议焦点

AI 创作的版权归属问题本质上是对“创作主体性”和“权利分配逻辑”的重构，全球范围内的分歧主要体现在三个层面。

（1）创作贡献的界定争议

美国坚持“人类作者”是版权取得的前提。D.C. Circuit 在 Thaler v. Perlmutter 案中明确，《版权法》要求作品“首先由人类创作”，纯 AI 生成物无权登记。美国版权局的《AI 作品登记指引》（2023）据此要求申请人在登记时披露 AI 生成成分，仅人类独创部分可获保护。针对 Jason Allen 的《Théâtre d’Opéra Spatial》，版权局复审委员会于 2023 年 9 月 5 日维持拒绝登记的决定。

在具体把握“人类贡献”时，实践普遍将提示词 / 参数选择、迭代取舍、后期编辑等视为可体现独创性的因素，但并无统一的量化阈值。

（2）训练数据的版权连锁反应

以作家团体起诉 AI 公司为代表的大量案件聚焦于：未经许可的大规模抓取是否侵权、训练是否构成合理使用、输出是否形成“实质性相似”。例如，Authors Guild 诉 OpenAI（SDNY, 2023）持续推进；而在 Bartz 等诉 Anthropic 一案中，2025 年 6 月加州北区法院认为，对合法获得书籍的模型训练属于合理使用，但从“影子图书馆”下载并长期保存可能构成侵权，随后双方在 2025 年 8 月达成拟议和解。

（3）跨国确权的规则冲突

不同法域的规则差异让跨境传播的 AI 作品面临合规风险。例如，日本目前并未承认 AI 为作者；官方发布的是“AI 与版权的一般理解”，重点规范开发、训练（含 TDM）与生成物的合规边界；而美国知识产权局则要求必须明确“自然人作者”，否则不予登记。这种差异导致在 WebNovel 等跨国平台上，同一部 AI 辅助创作的小说，在欧盟需标注“人类作者贡献比例”，在东南亚则可直接登记为“平台所有”，这增加了创作者的合规成本。

2. 行业解决方案

面对法律滞后性与实践需求的矛盾，行业已形成多层次的解决路径。

（1）精细化合同约定

头部平台的用户协议呈现“分级确权”趋势：Anthropic 的商业条款明确用户保留输出的权利（若法律承认）并提供一定法律保护，并未设置“按营收比例分成”的通用条款。亚马逊 KDP 要求作者在上架或更新时向平台披露是否含 AI 生成内容（平台内部申报），目前并无统一的“未填即自动下架”的规则。部分平台在签约中加入与 AI 相关的补充条款（如字节系番茄小说曾引发“训练补充协议”争议），提示作者关注训练许可、再利用授权范围。

（2）技术辅助确权机制

司法实践已接受“创作过程证据”（如提示词、迭代记录、后期编辑痕迹等）用于证明人类的独创性。例如，常熟“伴心”案认定原告通过提示词与后期加工体现独特选择与安排，作品可受保护。

（3）法定许可的地方实践

上海浦东探索“著作权行为发生地登记”的跨地域登记机制，便于与浦东相关的创作、开发、交易在上海完成登记并获得全链条服务。线上办理流程显示：5 个工作日内决定是否受理，受理后 30 个工作日内完成登记（不含补正时间）。

（4）行业自律标准

国际与国内机构鼓励标注 AI 参与记录人类贡献以提升透明度。

这些探索共同指向一个核心：在法律尚未完全明确的过渡期，需通过“技术存证 + 合同约定 + 行业共识”构建动态平衡机制，既保护人类创作者的合法权益，又为 AI 技术的合理应用留出空间。2025 年 6 月美国法院对 Anthropic 案的判决进一步表明，司法实践正在通过“合理使用”原则为 AI 训练数据的合法性划定边界，这将对全球 AI 版权规则的演进产生深远影响。

6.2 版权保护与管理措施

AI 创作的便捷性背后，藏着版权失守的风险。从创作过程的证据链构建，到版权登记的法律效力确认，再到维权途径的选择，每一步都关乎作品的合法权益。本节聚焦可落地的保护策略，教你用技术手段固定证据，以法律武器捍卫权利。

6.2.1 创作记录的留存与管理

在 AI 创作引发的版权纠纷中，“过程证据”的完整性往往决定权利主张的成败。北京互联网法院 2023 年的判决明确指出，法院对 AI 生成内容的版权认定将聚焦“人类创作意图的外化过程”，这要求创作者建立系统化的证据留存机制。

1. 提示词与参数记录：从简单指令到创作蓝图

提示词并非简单的文字输入，而是人类创作意图的核心载体。在“李某 AI 绘图案”中，法院审理后发现，图片虽为 AI 软件生成，但是在设计和制作时，李先生花费了不少心思。无论是设定提示词，还是调整各种画面参数，中间历经多次修改，每次调整都对应着构图、服饰、情绪表达的精细化设计。这些记录与模型参数共同构成“独创性贡献”的证据链。

对于网文创作，建议采用“提示词日志”工具（如 Notion 的 AI 创作模板），按章节记录：①核心情节指令（如“设计主角在古墓中发现家族秘密的冲突场景”）；②人物塑造细节（如“让反派在对话中隐藏对主角母亲的愧疚”）；③风格参数（如“模仿金庸武侠的短句节奏，减少心理描写”）。这类记录在某网文平台纠纷中，提示词创作与后期编辑记录被采纳为体现人类创意过程的证据，成为确权的关键。

2. 时间戳与版本对比：用技术锁定创作时序

区块链存证的核心价值在于解决“时间在先”的权利证明难题。已有行业尝试利用区块链、第三方存证平台保存 AI 创作轨迹，以增强证据可信度。

实操中需注意“版本颗粒度”，建议每完成 500 字修改或关键情节设计时进行一次存盘，避免因版本间隔过长导致创作逻辑断裂。同时，需保留 AI 工具自动生成的版本号（如 ChatGPT 的“Regenerate response”编号），与人工修改版本形成对应关系。

3. 修改痕迹：量化人类智力投入的关键

人工润色应保留修改前后的文本对比，包括批注、理由说明、章节结构变动等。这类“创作选择”往往体现人类的贡献，从而能帮助法院认定其独创性。相反，若修改仅为标点或同义替换，则可能不具备证明力。

4. 标识义务：从合规要求到权利声明

虽然目前缺乏全国统一的法律标准，但业界普遍建议在作品中标明 AI 的参与方式，如“AI 辅助创作”“人类润色”“人类明确参与内容范围”等。若未标明，可能影响法院对作品创作主体的判断。

6.2.2 版权登记与维权途径

版权登记是 AI 创作的“权利身份证”，维权则是捍卫成果的“法律盾牌”。本节聚焦实操层面，详解全国登记路径的费用、流程与特色，同步拆解从监测到诉讼的维权五步法，为创作者提供可直接落地的版权保护指南，让 AI 创作的合法权益有据可依、有径可循。

1. 登记渠道

AI 创作完成后，选择官方合规的登记渠道是固化版权、降低确权纠纷的关键。目前国内主流的版权登记渠道涵盖国家级与地方级官方平台，不同渠道在操作流程、审核周期上各有特点，可按需选择。下面先从国家级核心登记平台——中国版权保护中心入手，详细说明具体登记操作步骤。

（1）中国版权保护中心

登录中国版权保护中心官网后，在导航栏单击“版权登记”按钮，选择“作品登记”选项，如图 6-1 所示。随后进入作品著作权相关登记页面，如图 6-2 所示。登记机构受理登记申请后 25 个工作日内办理完成。

图6-1　中国版权保护中心官网首页

图6-2　中国版权保护中心官网著作权相关登记页面

（2）北京市政务服务网

登录北京市政务服务网，如图 6-3 所示。在搜索框中输入“作品”，搜索结果如图 6-4 所示。单击“作品自愿登记”进入作品自愿登记页面，随后按照要求申请即可，审核时间为 22 个工作日。

图6-3　北京市政务服务网

图6-4　北京市政务服务网官网搜索“作品”页面

（3）上海一网通办

登录上海一网通办官网，如图 6-5 所示。在搜索框中输入“作品”，搜索结果如图 6-6 所示。单击“一般作品著作权登记”右侧的“立即办理”按钮，进入作品自愿登记页面，随后按照要求申请即可，审核时间为 30 个工作日。

图6-5　上海一网通办官网

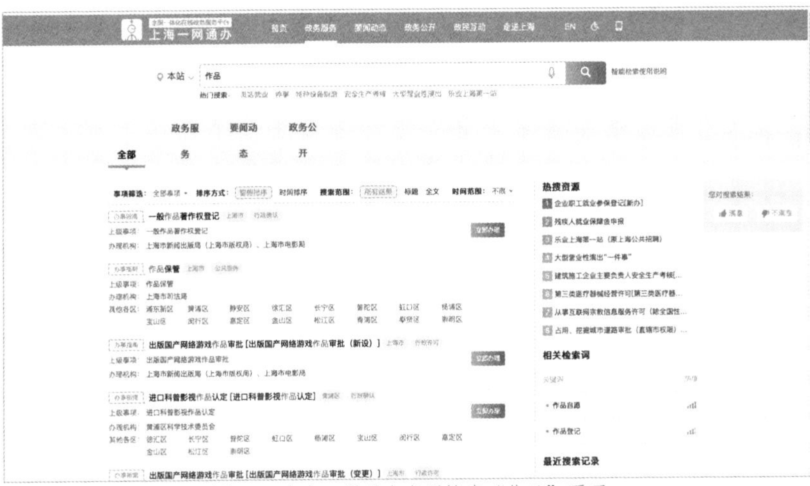

图6-6　上海一网通办官网搜索“作品”页面

2. 维权五步法

AI 创作的版权维权需遵循“证据优先、分步推进”的逻辑，从侵权监测到法律追责形成完整闭环，每一步均需紧扣“权属证明”与“侵权事实”两大核心，具体操作如下。

（1）监测：精准锁定侵权行为

监测是维权的前提，需覆盖 AI 生成内容可能传播的全渠道，重点排查“直接搬运”“改头换面”“片段盗用”三类侵权场景，见表 6-2。

表6-2 精准锁定侵权行为

监测渠道	优先关注网文平台、短视频/直播平台、电商平台、自媒体矩阵，以及专业AI生成内容平台。
监测工具	采用“技术+人工”结合模式——通过第三方版权监测系统设置关键词，自动抓取相似内容；人工重点核查系统预警结果，比对“AI生成特征”与原作的重合度。
监测记录	发现疑似侵权后，立即记录侵权内容的发布时间、URL（Uniform Resource Locator，统一资源定位符）链接、发布主体、内容形式，并标注侵权类型。

（2）存证：固定且不可篡改的证据链

存证需围绕“权属唯一性”与“侵权真实性”展开，确保证据符合司法认定标准，见表6-3。

表6-3 固定且不可篡改的证据链

存证内容	权属证据	区块链存证的原作创作记录、版权登记证书（若已登记）。
	侵权证据	侵权页面的完整截图（含顶部URL、发布时间、阅读量/点赞量）、录屏（展示侵权内容的完整浏览路径）、侵权内容与原作的对比表（标注重合段落/画面、相似度百分比）。
	辅助证据	监测系统的预警报告、侵权账号的主体信息（可通过平台“企业认证”或第三方工具查询）。
存证工具	优先选择法院认可的区块链存证平台（蚂蚁链、腾讯至信链、中证天通链），或通过在线公证平台（e公证、公证云）申请“实时存证公证”；若侵权内容易灭失（如短视频下架、文章删除），可在24小时内到线下公证处办理“保全证据公证”，获取纸质公证书。	
存证注意事项	存证时需完整保留侵权内容的“原始载体”（如不修改截图尺寸、不剪辑录屏），避免因证据瑕疵影响效力。例如，北京互联网法院2024年某案件中，原告因存证时遗漏侵权页面的阅读量数据，导致侵权影响范围的主张未被完全采纳。	

（3）平台投诉：依托平台规则快速止损

多数侵权行为发生在网络平台，通过平台投诉可高效制止侵权（依据《信息网络传播权保护条例》第十四条），准备投诉材料见表6-4。

表6-4 准备投诉材料

准备投诉材料	身份证明	个人创作者提供身份证复印件，企业/机构提供营业执照复印件。
	权属证明	原作的版权登记证书、区块链存证报告。
	侵权证据	标注清晰的侵权内容截图/录屏、侵权URL链接列表。
	投诉函	明确载明投诉人信息、侵权主体信息、侵权事实描述、诉求（如“删除侵权内容、封禁侵权账号、提供侵权主体真实信息”）。

提交投诉：通过平台“版权保护中心”或“投诉举报”入口提交材料，部分平台需线上签署《投诉承诺书》，保证投诉内容真实。

最后，需要跟进投诉结果。平台需在收到投诉材料后 24 小时内进行初步核查，一般在 7 个工作日内反馈处理结果。若投诉成立，平台会删除侵权内容、限制侵权账号功能；若投诉不成立，需要求平台出具《驳回通知书》，注明驳回理由，以便补充材料进行二次投诉。若平台无正当理由拖延处理，需保留沟通记录，作为后续行政投诉或诉讼的证据。

（4）行政投诉：借助行政力量强化监管

当向平台投诉无果，或侵权行为涉及“批量传播”“商业获利”时，可向行政部门投诉，通过行政手段施压。

首先，选择向侵权行为地的地方版权局或网信办提交投诉，若侵权内容涉及跨境传播，可向国家版权局国际事务处投诉。

其次，除平台投诉所需的权属、侵权证据外，还需提交《行政投诉书》，补充说明“侵权行为的社会影响”“平台处理情况”，并附侵权主体的工商信息。

行政处理流程见表 6-5。

表6-5 行政处理流程

部门受理	行政部门收到材料后5个工作日内决定是否受理，受理后会向投诉人出具《受理通知书》。
调查核查	行政部门会约谈侵权主体、调取平台后台数据，一般30个工作日内完成调查。
处理结果	若认定侵权成立，行政部门会作出《行政处罚决定书》，责令侵权主体停止侵权、没收违法所得，情节严重的可处50万元以下罚款；若侵权主体拒不履行，行政部门可申请法院强制执行。

相比诉讼，行政投诉成本低（无须缴纳诉讼费）、效率高（全程约 2 ～ 3 个月），且行政部门出具的《行政处罚决定书》可作为后续诉讼的“优势证据”。例如，杭州互联网法院 2024 年某案件中，原告提交的《著作权行政处罚决定书》直

接被法院采纳，大幅缩短了庭审举证时间。

（5）诉讼：通过司法途径主张赔偿

当侵权行为造成较大损失（如侵权获利超过 10 万元），或需通过诉讼明确“AI创作版权边界”（如“AI 辅助创作的权属划分”），可向法院提起著作权侵权诉讼，通过司法判决实现权利救济，见表 6-6。

表6-6 通过司法途径主张赔偿流程

<table>
<tr><td rowspan="3">诉讼准备</td><td>确定管辖法院</td><td>一般向“侵权行为地”或“被告住所地”的互联网法院或知识产权法院提起诉讼，若侵权行为涉及多个地区，可选择对原告最有利的法院。</td></tr>
<tr><td>委托律师</td><td>建议委托擅长“知识产权+AI法律”的律师，梳理证据链，起草《民事起诉状》。</td></tr>
<tr><td>准备证据清单</td><td>按“权属证据→侵权证据→损失证据”分类整理，损失证据包括维权合理费用、侵权获利证据。若无法举证实际损失，可主张按《著作权法》第五十四条，要求五百元以上五百万元以下的法定赔偿。</td></tr>
<tr><td rowspan="4">诉讼流程</td><td>立案</td><td>向法院提交起诉状、证据材料（一式两份），缴纳诉讼费，法院一般7个工作日内立案，出具《立案通知书》。</td></tr>
<tr><td>举证与质证</td><td>原被告在举证期内（一般30日）提交证据，法院组织双方质证，重点核查“AI生成内容的独创性”与“侵权行为的关联性”。</td></tr>
<tr><td>庭审</td><td>法院会围绕“权属是否明确”“是否构成侵权”“赔偿金额如何确定”三大焦点进行审理，若涉及AI技术问题，可能邀请技术专家出庭说明。</td></tr>
<tr><td>判决</td><td>一般案件会在立案后6个月内作出一审判决，若双方不服可上诉至二审法院，二审判决为终审判决。</td></tr>
<tr><td>执行与后续</td><td colspan="2">若被告未按判决履行赔偿义务，原告可在判决生效后2年内向法院申请“强制执行”（如冻结被告银行账户、查封财产）。同时，可将生效判决提交至各网络平台，要求平台永久封禁侵权账号，防止侵权行为再次发生。</td></tr>
</table>

第 7 章

拓展 AI 网文写作变现渠道

在 AI 技术与网文创作深度融合的时代，仅仅完成小说创作并非终点，如何将 AI 创作的网文转化为实际收益，是每个作者都关心的问题。本章将聚焦于拓展 AI 网文写作的变现渠道，从自媒体平台变现到多元化商业合作，为大家提供切实可行的方法和案例，助力 AI 网文作者实现创作价值的最大化。

7.1 自媒体平台变现

随着互联网的飞速发展，自媒体平台已成为内容创作者变现的重要舞台。对于AI网文作者而言，借助自媒体平台的流量优势和变现机制，能够将创作的网文内容更广泛地传播，并转化为实际收益。无论是以文字为主的公众号，还是视听结合的短视频平台，都为AI网文变现提供了丰富的可能性。

7.1.1 公众号运营与变现

在自媒体蓬勃发展的当下，公众号凭借其稳定的用户基础和多元的变现模式，成为AI网文写作变现的重要阵地。对于想要将AI创作的网文转化为实际收益的作者而言，运营好公众号不仅能积累忠实粉丝，更能开辟多条赚钱路径。

1. 注册：从零开始拿到“官方身份证”

公众号核心的第一步是选对账号类型，不同类型的群发频次、功能权限、适用场景差异显著，直接决定后续能否开通支付、分销等关键功能，也影响运营节奏。先结合自身需求明确方向，再针对性地选择公众号或服务号，具体类型特点与实操建议如下。

（1）账号类型选择

账号的类型有两种，一种是公众号，另一种是服务号。公众号偏向于为用户传达资讯，认证前后都是每天只可以群发一条消息，高级接口能力及商户功能仅对认证后的部分公众号开通。服务号主要偏向于服务交互，认证前后都是每个月可以群发四条消息，认证后可开通高级接口能力及商户功能。初期可以先用“公众号”练笔，粉丝破500后再迁移，以“服务号”为最终形态。

（2）注册流程

打开微信公众平台后，在右上角单击“立即注册”按钮，如图7-1所示。在注册页面单击“服务号”按钮，如图7-2所示。

图7-1 微信公众平台官网首页

图7-2 微信公众平台注册页面

按照指示填写基本信息、类型等内容，如图 7-3 所示。根据提示完成具体流程，等待 1 个工作日后，通过审核。

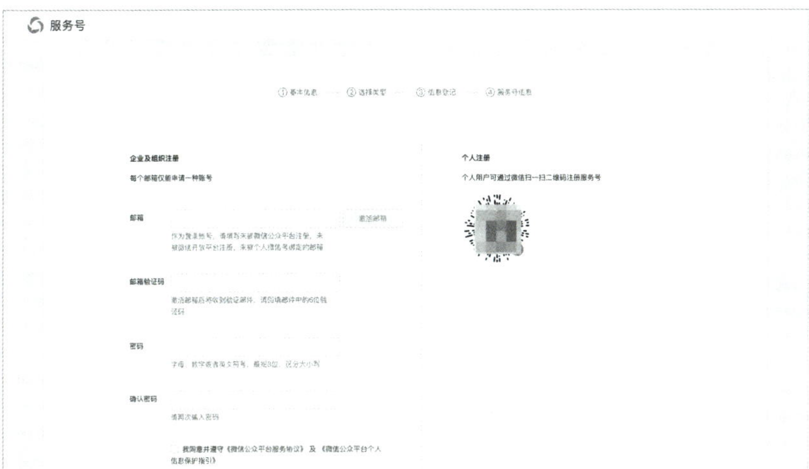

图7-3 微信公众平台注册服务号填写基础信息页面

Tips

名称 2 ~ 6 个字，提前在“微信指数”查重，避免侵权。一个身份证只能注册 1 个公众号，谨慎命名。

2. 涨粉运营：从0到5000的4条安全通道

变现能力的稳定提升，离不开前期系统化的准备工作。这一环节如同为账号搭建“变现地基”，直接影响后续收益模式的落地效果。从“粉丝”需求洞察到内容价值定位，每个准备步骤都需精准施策。其中，清晰勾勒目标读者画像作为首要前提，是后续所有变现策略的核心依据。

（1）微信“问一问”引流

打开微信后，进入“发现”页面，如图7-4所示。进入“搜一搜”页面，如图7-5所示。

图7-4　微信App“发现”页面

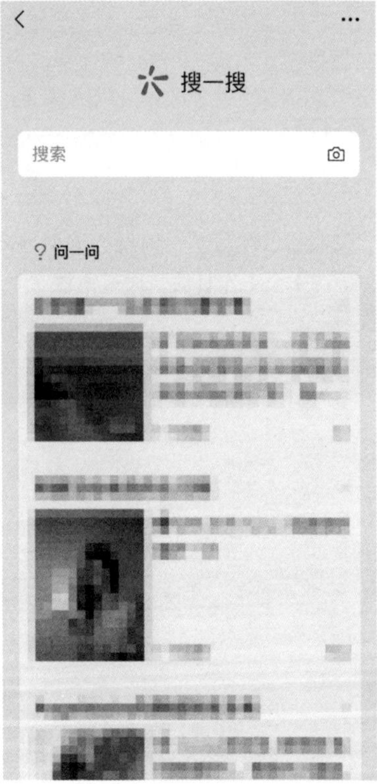

图7-5　微信App“搜一搜”页面

滑到页面最下方，如图7-6所示。点击“去问一问看更多内容”进入问一问页面，在问一问搜索框中输入“小说”后，点击右侧的“搜索”按钮，查看搜索结果，如图7-7所示。

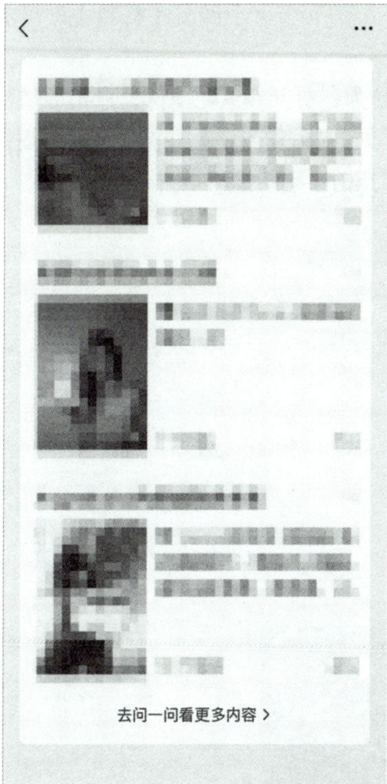

图7-6　微信App“搜一搜”页面底端

图7-7　微信App搜索“小说”页面

选择在适当的问题下进行回答，尽量做到 30 条 / 日。回答示例：“推荐一部我正在追的爽文《××××××》，公众号【××××××】回复关键词【自救】即可看全文。”

Tips

每条回答≤ 50 字，不带二维码，不重复相同文案，防止限流。

（2）小红书图文倒流

利用即梦 AI 出图，随后使用美图秀秀 App 对图片进行基础排版，最后点击“批量套模板”，将准备好的文本替换到每张图片的下方。

在发布小红书时，笔记结构按照：首图——“社畜”穿书三天逆袭（大字）；图 2——AI 生成原文截图（打码）；图 3——评论区截图“求全文”；文案正文 80 字以内：“姐妹们！这本 AI 写的穿书文太上头，女主三天完成反杀，全程高能！全文在公众号【××××××】，回复【自救】直接看！”

在小红书主页简介部分，第一行放公众号名称，加“emoji”。在评论区置顶：“【完整版】已放在公众号，搜索【××××××】回复【自救】即可看全文～”

最后，进行100元薯条推广，投放路径为：打开小红书App，点击导航栏的“我”进入个人主页；在个人主页的侧边栏点击“创作者中心”按钮，进入创作者页面，在全部服务中的“成长中心”板块，点击“薯条推广”图标。如图7-8～图7-10所示。

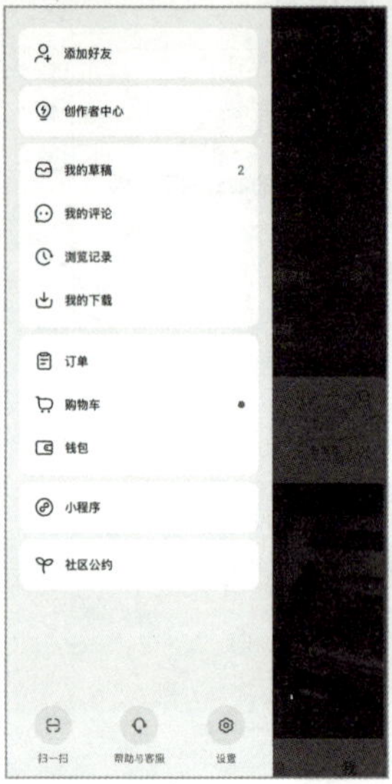

图7-8　小红书个人主页侧边栏

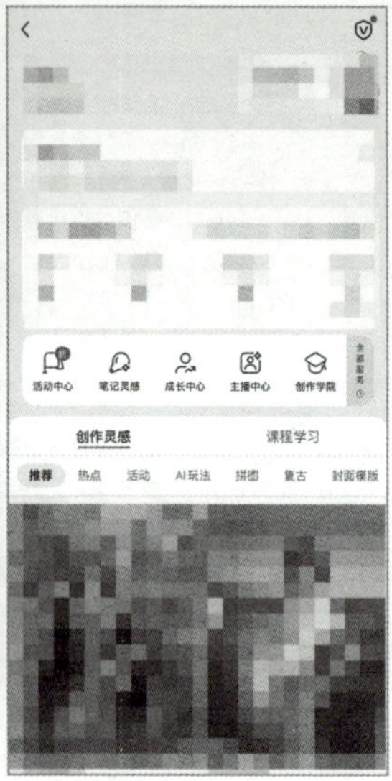

图7-9　小红书创作者页面

图7-10　小红书服务页面

最后，选择笔记，按照提示选择，定向“18～25岁+女性+兴趣：小说/漫画”，设置完成后即可等待结果。

（3）老号互推

找到5个同体量号（粉丝1000～5000），互换词条。文案模板：“推荐我闺蜜的宝藏号【××××××】，回复【自救】看爆爽穿书文！”频率保持在每周一次，防止粉丝疲劳。

（4）社群裂变

建立微信群“今日限免小说”。进群门槛：转发推文到朋友圈并截图。

Tips

粉丝破500立即开通流量主，破1000可申请“小说分销”白名单。

3. 变现：七大变现方式，开启收益之门

在当今数字化时代，公众号凭借其庞大的用户基础和便捷的传播特性，成为众多创作者实现作品变现的重要平台。对于利用AI创作小说的作者而言，公众号更是一块蕴藏着巨大商机的沃土。以下为七种主流变现方式的详细介绍。

（1）流量主

流量主是公众号变现的入门级方式，门槛相对较低，适合粉丝量初步积累的创作者。

首先，需满足开通条件。新手作者需积攒五千粉丝，且保证最近十五天内有三篇及以上原创文章发布，这是开通的硬性条件。满足条件后，在公众号后台“广告与服务—流量主—立即开通”即可申请。

开通后，广告位的布置有讲究。文中广告选在正文第4～6自然段最佳，该位置既能让广告获得一定曝光，又不会过度影响读者的阅读体验。底部广告无须额外操作，系统会自动加载。

此外，需避免“广告紧挨标题”被判定违规，在文中广告前后各留120字以上的正文十分必要。还可添加“以下内容免费，广告后精彩继续”类提示语，减少读者的反感。

收益方面，每日中午12点后台会更新eCPM（Effective Cost Per Mille，每千次展示的有效收益）数据，千次阅读收益通常在1～3元。建议新手作者每周导出Excel表格，分析哪类题材eCPM最高，以此规划后续写作选题，可有效提高收益。例如，若发现悬疑类题材eCPM较高，后续可多创作此类小说。

（2）付费专栏

付费专栏是将小说内容进行结构化付费售卖的有效方式，能让读者为优质内容付费。

开通付费功能时，在公众号后台“内容与互动—付费功能—申请”，需提交身份证、银行卡，审核时间为1～3个工作日，读者要提前准备好相关资料，耐心等待审核。

设计专栏结构时，可将整本小说拆成30集，每集1500～2000字。第1集免费，以此吸引读者入坑；第2～30集单篇定价0.5～0.8元，整本打包价12.9元，给读者提供多种选择，提高购买概率。

上传章节时，新建图文后开启“付费”开关，填入价格并保存。务必在摘要栏写“前300字试读”，让读者先感受内容质量，提高转化率。

连载节奏也很关键，每周三更，选择周一、周三、周五晚上8点准时推送，形成固定的阅读习惯。每次推送后十分钟内回复前10条留言，制造“抢前排”氛围，增加读者的参与感和黏性。

数据复盘不可忽视，在“付费—数据日报”里查看付费率。若单集付费率低于5%，立刻在下一集开头增加“悬念回顾”100字，通常可提升2～3个百分点。比如，上一集讲到主角陷入险境，下一集开头就简要回顾这一悬念，勾起读者的阅读欲望。

（3）会员制

会员制能稳定锁定一批忠实读者，为其提供专属权益，实现持续收益。

在插件准备上，可使用“小鹅通·社群版”或“知识星球”创建会员专区，设置年费和月费，满足不同读者的付费需求。

权益设计要具有吸引力，比如提前48小时看新章节，让会员有优先阅读权；每月一篇“彩蛋番外”，增加额外的精彩内容；建立会员专属微信群，作者每日在线30分钟答疑，增强与读者的互动。

售卖页面设置上，在公众号菜单栏新增“成为会员”按钮，跳转至小鹅通支付页。页面头图放二维码，文案写“29元畅读30万字”，直观地向读者展示会员的价值。

续费提醒很重要，会员到期前三天，系统自动发模板消息，同时在微信群发“续费红包”，续费率可达42%。通过这种方式，可以有效提高会员的续费意愿。

（4）赞赏

赞赏是读者对作者创作认可的直接体现，能增加作者的创作动力。

开启赞赏账户，在后台“内容与互动—赞赏功能—创建账户”，绑定同一身份证的微信号，确保账户信息的一致性。

文中埋点技巧性很强，每篇文末留“情绪炸弹”，比如“如果你也曾被家人误解，请点个‘赞’让我看到”，引发读者的情感共鸣。文字下方插入官方“喜欢作者”按钮，方便读者进行赞赏。

公开致谢能促进读者二次分享，次日在留言区置顶“感谢名单”，@前三名赞赏者，金额从5元到200元不等。被@的读者往往会二次分享到朋友圈，带来额外阅读量和潜在赞赏者。

（5）小说CPS

小说CPS通过分销小说，按阅读时长获得分成，拓展收益渠道。

申请渠道时，进入“番茄小说达人中心”或“U客直谈”，选择分销书单，复制专属小程序链接。不同渠道的小说类型和分成比例可能不同，可根据自己公众号的读者群体选择合适的书单。

插入方式上，在公众号图文末尾写“完整版点这里”，并超链接至小程序。系统按每千次有效阅读20～60元结算，收益相对可观。

防下架检测不能忽视，每周一把链接在手机上点开一次，确认无“404 not

found”。若被平台下架，立刻换书，保持收入不断。避免因链接失效而影响收益。

（6）接商单

接商单是当公众号有一定影响力后，通过软文植入获得收益的方式。

制作报价单时，以 PDF 形式呈现，头条、次条、菜单栏的报价。末尾写“接受分账模式，销售额分成 15%”，以增加与广告主合作的可能性。定价可根据公众号的粉丝量、阅读量等因素进行调整。

接单流程要规范，广告主发布需求后，作者用 AI 生成大纲，再人工加入品牌场景，然后确认排期、发布，72 小时后提交数据截图。这样既能提高效率，又能保证软文质量。

合规声明必不可少，在软文顶部写“本文为商业合作，请理性消费”，避免被投诉，确保合作的合法性。

（7）私域课程

私域课程是将自己的创作经验转化为收益的方式，适合有一定创作技巧的作者。

招生文案要具有吸引力，在公众号发布案例文章，如《我用 AI 写了 10 万字，收到第一笔广告分成》，分享自己的成功经验，文末放课程二维码，引导报名。

交付工具要便捷实用，直播用腾讯会议，回放上传小鹅通。学员作业用飞书表格收集，助教每日点评，保证教学质量。

7.1.2 短视频平台变现

把小说拆成一分钟的钩子，把钩子投进九亿流量的漩涡，就能听见硬币落袋的清脆声响。短视频不是配角，而是放大器：抖音的算法像精准的猎犬，快手的“老铁”愿意为你掏钱包，视频号的朋友圈裂变能把陌生人瞬间拉进私域。本节把三大平台的性格、门槛、前景写成可复制的剧本，拍摄同类型视频、挂上小黄车、打开直播，就能让文字长出翅膀，直接飞进收益账户。

1. 三大主流平台横向对比

不同平台的流量属性、变现逻辑差异显著，选对平台是短视频小说号变现关键的第一步。为帮助创作者精准匹配赛道，从核心优势、主要变现入口、收益区间、准入门槛等维度，对抖音、快手、微信视频号展开横向对比，具体见表 7-1。

表7-1 三大主流平台的横向对比

项目	抖音	快手	微信视频号
核心优势	9亿日活、算法推荐精准、电商闭环成熟	下沉市场渗透率高、老铁经济黏性强	10亿微信日活、朋友圈转发无壁垒、支付闭环
主要变现入口	商品橱窗、星图广告、中视频计划、直播	快手小店、磁力金牛、直播打赏	视频号小店、直播打赏、付费专栏、广告分成
万次播放收益区间	2～30元（中视频计划20～100元）	10～50元	暂无公开单价，直播打赏分成50%
备注	需1000粉或加入中视频计划	0粉丝即可开小店带货	0粉丝可开直播，社交裂变快

2. 抖音：算法红利 + 多元变现

抖音依托算法推荐与多元变现生态，适合追求流量红利的创作者。新手先注册账号，满足 3 条横屏原创视频等条件，即可申请“中视频伙伴计划”，同步开通商品橱窗。

内容上用 AI 工具将小说高潮改成口播脚本，借助剪映 App 的“图文成片”功能快速生成视频，标题以“爽文 / 虐文 + 悬念句”引流。

变现可通过中视频补贴，万次播放 20 ～ 100 元，周三结算；商品橱窗挂高佣金商品，如小说实体书；星图广告；1 万“粉丝”后接单，单条 300 ～ 3000 元，还能固定时段直播讲“AI 写小说”，引导打赏或售卖知识付费课程。

3. 快手：“老铁经济” +0 粉带货

快手侧重“老铁经济”，0“粉丝”即可带货变现。注册后直接开快手小店，只需身份证 +500 元可退还保证金即可。

将小说剪成竖屏短视频，封面用大字突出“爽到爆”“已完结”等卖点；每天选高峰时段发 1 条并投 20 元“粉条”冷启动，评论区置顶引导用户去公众号。

变现可通过小店带货小说、耳机等佣金 15% ～ 45% 的商品，出单实时显示收益，T+7（T 代表交易日，即资金交易发生的那一天。+7 表示从交易日开始算起，加上 7 天的时间）提现，5000 粉后接磁力金牛广告，单条 200 ～ 1500 元，也能 0 粉开直播讲干货，靠打赏变现，主播分成 50%，实时到账。

4. 微信视频号：社交裂变 + 多元闭环

微信视频号借助社交裂变与微信生态闭环，适合做私域联动。创建账号后绑定同名公众号，开通视频号小店或微信小商店，零保证金。

内容上截取小说高燃片段，引导用户去公众号看全文，发布时 @ 自己的公众号并同步到朋友圈、微信群裂变。

变现可在小店上架 AI 写小说虚拟课程，0 粉开播挂 29.9 元付费专栏，或靠直播打赏，与平台 5∶5 分成，实时提现至微信零钱，5000 粉且发布 10 条原创后，还能申请广告分成，万次播放 5 ～ 15 元。

5. 跨平台同步增效小技巧

采用“一材多用”策略：同一素材剪辑横版投抖音赚中视频补贴，竖版投快手、视频号带货；每周五将多平台收益截图做成“周复盘”图文发到公众号，顺带推广付费专栏；用飞书多维表格按“平台＋时间”排程内容发布，标注“视频标题＋挂车商品”，用颜色标记完成状态，防止漏更。

7.2 多元化商业合作

当公众号的订阅数变成可验证的影响力，小说就不再只是文字，而是一张通往影视、文创、消费场景的通行证。本章将探讨如何把故事版权、角色 IP、场景符号拆分成可交易的资产，与影视公司、制造商、零售商分利共赢。

7.2.1 与影视公司合作

影视公司缺好故事，作者缺资金与渠道，把小说变成“可拍清单”，就能让两者一拍即合。本节给出三种合作模型：一次性版权买断、分账改编、定制共创。每一步都附上合同要点与时间表，确保作者在镁光灯亮起之前先把收益落袋。

1. 合作模型一：一次性版权买断

一次性买断适用于：小说有明确的故事主线，但 IP 热度尚未完全爆发；作者希望快速回笼资金，或暂无精力参与改编过程。

首先，需要准备“影视化拆解资料”：提炼核心人物小传、故事大纲、高光剧情片段；随后，通过影视版权交易平台或经纪人对接影视公司，优先选择擅长小说改编的团队；最后，在签订合同时要明确“改编范围”“禁止条款”“交付时间”等信息。

案例参考：2024 年网文作者“青橙”通过云莱坞平台，将公众号连载小说《小镇法医》以 8 万元一次性买断给某影视公司，3 个月内到账。

2. 合作模型二：分账改编

分账改编适用场景：小说角色人设鲜明，有粉丝互动基础，适合开发系列影视内容。

首先，与影视公司约定“基础版权费＋票房 / 播放量分账”，基础费 3 万 ～ 10

万元，分账比例按“影视项目总收益的5% ~ 15%”计算；其次，要求参与“改编确认会”，每季度至少1次，对剧本大纲、选角建议、宣传物料拥有“知情权和修改建议权”；再次，绑定宣发，影视上线时，用公众号粉丝资源配合宣传，可额外争取1% ~ 3%的宣发分账；最后，在签订合同时明确分账“结算周期”“数据查询权”“续集优先权”等。

案例参考：公众号作者“老K”的《电竞大神》采用分账模式，基础费5万元+播放量分账，2024年改编网剧在腾讯视频上线后，单季分账收益超20万元。

3. 合作模型三：定制共创

定制共创适用场景：作者有影视化思维，能按影视公司需求“定制创作”，或希望以“编剧”身份深度参与项目。

首先，前期与影视公司共创“创作大纲”，明确故事主题、目标受众、平台调性。其次，签订“定制+编剧”双协议，除版权收益外，额外获得“编剧费”，并在影视片头标注“原创编剧”署名。再次，全程跟进制作，参与剧本打磨、片场探班、后期剪辑，确保内容贴合小说核心气质。最后，在签订合同时明确“定制修改次数”“署名位置”“违约赔偿”等条款。

7.2.2 周边产品开发

当小说里的“标志性道具”“角色符号”变成“粉丝”愿意花钱买的实物，IP的商业价值就从“文字流量”变成了“可触摸的消费”。本节从“元素拆解—合作生产—渠道销售”三个环节，教创作者用低成本试错做出高复购周边，避免“压货亏损”，让“粉丝”买“周边”等于支持IP。

1. 第一步：拆解可落地的IP元素

要让小说IP转化为可盈利的周边产品，关键是从内容里精准提炼出能被大众感知、喜爱的核心元素，它们是连接虚拟故事与实体商品的桥梁。下面将从角色、场景、符号三个维度，系统拆解可落地的IP元素，具体分类与实例见表7-2。

表7-2 拆解可落地的IP元素

纬度	方向	元素	实例
角色维度	提取“标志性视觉符号”	专属配饰	《长安客》主角的银质腰牌
		经典穿搭	《民国大小姐》的月白旗袍
		Q版形象	适合做钥匙扣、贴纸
场景维度	转换“高频出现的场景”	小说里的“忘忧酒馆”	做成迷你酒馆模型、酒馆主题香薰
		校园天台	做成场景明信片、笔记本封面

续表

纬度	方向	元素	实例
符号维度	提炼“专属Slogan/Logo”	核心台词	“别怕，我带你回家”印在卫衣上
		定制IP Logo	结合小说名设计，印在帆布袋、书签上

可以用公众号“粉丝投票”筛选元素，比如发布“你最想拥有的《××》周边”投票，选出票数前三的元素优先开发，降低市场风险。

2. 第二步：选择低成本合作模式

周边开发若全靠自主生产、推广，不仅资金压力大，还易因判断失误导致库存积压。为帮助新手作者以最小成本试错，需结合产品类型、粉丝基础等因素，选择适合的低成本合作模式。既能减轻资金负担，又可借助外部资源放大 IP 影响力，具体有以下三种核心模式。

（1）模式一：ODM（Original Design Manufacturer，原始设计制造商）代工

适用于试水产品，首批产量为 500 ~ 1000 件，小批量试产，适合首次开发。

实操步骤：首先，在 1688 搜索“文创 ODM 工厂”，优先选择“支持小批量定制”“提供设计协助”的厂家；其次，提供 IP 元素素材，让厂家出三版设计稿，选一版打样；最后，注意成本控制，首批总成本控制在 1 万元以内。

Tips

要求厂家提供“材质检测报告”（如帆布为棉麻材质、油墨无异味），避免劣质产品影响“粉丝”信任。

（2）模式二：联名合作

适用于开发食品、日用品，适合有一定“粉丝”基础的 IP，借助成熟品牌的流量，降低推广成本。

实操步骤：首先，对接与 IP 调性匹配的品牌：如古风小说对接“国风文具品牌”（得力国风系列）、悬疑小说对接“咖啡品牌”（隅田川冷萃咖啡）；其次，约定“无成本分成”：品牌负责生产、物流，作者提供 IP 授权，按销售额的 8% ~ 15% 分账，无须作者垫付资金；最后，绑定营销：在联名产品包装上印“公众号二维码”，扫码可看小说番外，实现“产品—粉丝”的转化。

案例参考：2024 年公众号作者“苏晓”的古风小说《簪花录》，与某国风美妆品牌联名推出“簪花眼影盘”，分账比例 12%，上线 1 个月销售额超 50 万元，作者分账 6 万元。

（3）模式三：众筹预售

适用于高客单价产品，适合核心粉丝忠诚度高的 IP，先收钱再生产，零库存风险。

实操步骤：首先，在众筹平台发起项目，设置“阶梯回报”，如支持 99 元得“IP 书签 + 番外”，支持 299 元得“角色手办 + 签名照”；其次，用公众号预热，发布“周边设计幕后”“众筹专属福利”，带动“粉丝”参与；最后，设定目标，首次众筹目标为 5 万 ~ 10 万元，达成后找工厂生产，未达成则全额退款，无压货风险。

3. 第三步：渠道销售

有了优质的周边产品后，关键是要通过精准渠道触达目标“粉丝”群体。不同渠道在触达范围、转化效率上各有特点，既需要依托私域沉淀核心用户，也可借助线下场景拓展新客，还能通过运营技巧提升“粉丝”的消费黏性。具体的渠道类型、操作方式及详情如表 7-3。

表7-3 渠道销售

渠道	方式	详情
核心渠道	公众号私域	在公众号菜单栏设置“IP周边店”，发布“周边推文”：结合小说剧情写“为什么做这款周边”，搭配“粉丝晒单返现”，提升转化率。
补充渠道	线下快闪	与本地书店、咖啡馆合作，设置“IP周边展示区”，张贴小说海报，扫码可关注公众号+购买周边，按销售额的10%~20%给合作方分成，低成本触达线下粉丝。
运营技巧	绑定剧情消费	买周边送“小说隐藏剧情”或“周边解锁剧情”，让“买周边”成为粉丝参与IP的一种方式。

附录 AI 网文写作提示词模板

1.AI 工具选择与分工提示词模板

提示词类型	提示词模板	适用场景
大纲架构	以……（核心工具，如DeepSeek）为引擎，围绕……（网文题材，如玄幻/现实）搭建创作框架，要求……（质量标准，如逻辑严谨/论点明确），梳理……（核心要素，如知识脉络/关键冲突），输出……（成果形式，如分卷大纲/章节框架）。	用AI工具搭建小说整体骨架，如玄幻小说的分卷逻辑设计。
章节扩写	基于……（已有基础，如大纲节点/前文内容），以……（核心工具，如Kimi）整合……（信息类型，如资料/案例），完成……（扩写任务，如细节填充/逻辑补全），要求……（质量标准，如跨章节连贯/信息准确），输出……（成果形式，如完整章节/学术化内容）。	将大纲细化为具体章节，如悬疑小说的线索溯源与情节展开。

2.AI 工具写作指令构建提示词模板

提示词类型	提示词模板	适用场景
明确目标与主题	创作……（文体类型，如小说/散文），核心设定为……（核心剧情/人设，如主角成长线/世界观），围绕……（主题方向，如修真/职场），生成……（内容模块，如开篇/冲突情节），需契合……（风格/细节要求，如古风/五感描写）。	让AI工具精准定位创作方向，如现实题材小说的职场冲突设计。
指令优化（场景冲突/人物刻画）	生成……（情节类型，如拍卖会冲突/仇人对峙），需满足：①……（冲突绑定要求，如主线线索/人设逻辑）；②……（关键信息暴露，如反派台词/角色动作）；③……（剧情推动目标，如指向新场景/揭示伏笔），输出……（内容形式，如对话/动作描写）。	强化文章情节张力，如玄幻小说的宝物争夺冲突设计。

3. 精准定位网文创作提示词模板

提示词类型	提示词模板	适用场景
题材洞察与趋势预判公式	基于……（数据维度，如行业报告/平台数据），拆解……（目标题材，如现实/科幻）的……（分析维度，如市场份额/用户画像/爆款逻辑），评估……（核心要素，如IP衍生潜力/受众偏好），输出……（成果形式，如创作方向建议/潜力评估报告）。	判断题材市场价值，如分析2025年悬疑题材的用户增长趋势。
个人优势与AI工具协同公式	用……（评估维度，如风格辨识度/角色塑造力）模型，评估……（自身作品，如大纲/片段）的……（分析目标，如优势/短板），结合……（AI工具，如Kimi/DeepSeek），制定……（优化策略，如风格强化/节奏修复），输出……（成果形式，如修改方案/提升方向）。	针对性放大创作优势，如用AI工具修复小说的读者流失段落。

4. 小说大纲生成提示词模板

提示词类型	提示词模板	适用场景
通用大纲	生成……（参考风格，如《全球高武》）风格的……（题材类型）大纲，包含……（核心要素，如×个转折点/×组阵营/×条悬疑线索），参考……（数据依据，如平台Top10节奏），分卷不超过……（卷数），标注每卷……（关键信息，如爽点类型/核心事件），输出……（成果形式，如分卷大纲）。	快速生成结构化大纲，如都市异能小说的分卷剧情设计。
分题材定制大纲	基于……（参考案例四要素，如基础设定/角色设定/情节结构/主题），创作……（题材+细分类型，如现实悬疑+社会议题）大纲，需体现……（核心冲突，如程序正义vs舆论审判），篇幅约……（字数），输出……（成果形式，如完整大纲）。	垂直题材大纲设计，如历史穿越小说的时代背景与剧情结合。

5. 场景描写优化提示词模板

提示词类型	提示词模板	适用场景
场景风格定向生成	定义……（场景名称）（核心元素：元素1+元素2+元素3），生成……（数量）种风格（风格1/风格2/风格3）的描写，分别满足……（各中风格要求，如删减修饰词/突出五感），输出……（成果形式，如场景片段）。	多风格场景创作，如都市雨夜咖啡馆的极简/华丽风描写。
场景风格分步骤优化	①拆解……（场景名称，如隐世毒宗大殿）的……（设定维度，如建筑/器物/环境）；②补充……（细节类型，如具象化元素/专属设定）；③校验是否符合……（场景调性，如低调隐秘/恐怖氛围），删除……（违和元素），输出……（成果形式，如优化后场景描写）。	高适配性场景设计，如悬疑凶案现场的真实性细节补充。

6. 对话设计提示词模板

提示词类型	提示词模板	适用场景
角色定制对话	基于……（人设，如高冷法医/叛逆少女）（核心特征……（特征1+特征2+特征3），生成……（场景，如勘查现场/师生对话）的……（数量）句对话，覆盖……（功能类型，如纠正错误/解释发现），每句不超过……（字数），输出……（成果形式，如对话片段）。	贴合人设的台词创作，如仙侠小说中将军与皇子的对话设计。
冲突张力强化	在……（场景，如刑侦审讯室/修仙拍卖会）中，设计……（角色关系，如嫌疑人vs刑警/主角vs反派）的对峙对话，需包含：①……（直白句，如戳穿谎言）；②……（细节暗示句，如动作/环境线索），提升……（目标，如读者追问欲/情节张力），输出……（成果形式，如对话片段）。	高冲突对话设计，如都市小说中主角与反派的台词博弈。

7. 平台匹配推荐公式

提示词类型	提示词模板	适用场景
平台匹配推荐公式	根据……（平台1）/（平台2）/（平台3）的……（关键维度，如受众画像/签约门槛/流量规则），为我的……（作品信息：题材+人设+篇幅+风格）推荐……（投放类型，如首发/二发）平台，制定……（目标，如收益最大化/曝光提升）的方案，输出……（成果形式，如投放建议）。	选择适配平台，如女主无CP玄幻小说的起点/晋江投放选择

8. 作品推广素材生成公式

提示词类型	提示词模板	适用场景
短视频素材（抖音/小红书）	从……（作品名称）中提取……（素材结构，如钩子-反转-引导）三段式内容，每段不超过……（字数），改写成……（平台风格，如抖音爆款字幕）并配……（辅助元素，如场景提示），同时生成……（视觉素材提示词，如国漫风立绘），输出……（成果形式，如台词+视觉提示词）。	网文短视频引流，如玄幻小说的抖音钩子视频素材设计。
社交话题运营（微博）	围绕……（作品名称），设计……（周期）话题……（话题1，如#今日修罗场）/（话题2，如#战力排行榜），为……（目标话题）生成带……（互动形式，如投票/问答）的内容（选项：选项1/选项2/选项3），预测……（数据目标，如24小时阅读量）与……（最佳发布时间），输出……（成果形式，如话题文案+数据预测）。	网文社交平台推广，如仙侠小说的微博话题运营设计。